CONVERSATIONAL FRENCH

A Course for Adults

CONVERSATIONAL FRENCH

A Course for Adults

JOSEPH HARVARD

Headway · Hodder & Stoughton

Tape and cassette recordings of *Conversational French* are
available from the Tutor Tape Company Ltd.
2 Replingham Road, London, S.W.18
They can be inspected at their Central London
Demonstration Room, 102 Great Russell St,
London W.C.1.

ISBN 0 340 08628 9

First published 1960
Eighteenth impression 1992

Printed in Great Britain for Hodder and Stoughton
Educational, a division of Hodder and Stoughton Ltd.,
Mill Road, Dunton Green, Sevenoaks, Kent
by Athenaeum Press Ltd., Newcastle upon Tyne.

PREFACE

This book is intended for those who already possess some knowledge of French and who now wish to obtain a more complete command of the spoken language. The short test on page 9 will enable students to ascertain whether they possess the elementary knowledge required to benefit from this course or whether they should start with *Beginners' French*, the first book in this series.

The ability to converse fluently in a language does not develop automatically from a study of its grammar or literature; like any other skill it can be acquired only through systematic and persistent practice. The purpose of this book is to provide suitable material for practice and to present it in the way in which it may most easily be assimilated. Each lesson commences with a short dialogue composed of sentences found in everyday conversation. These dialogues are short enough to be memorised, which is essential if fluency in the language is to be achieved. Obviously, to memorise all the sentences which a student might have occasion to use would be an impossible task; fortunately it would also be an unnecessary one, since most of the sentences given here will serve as patterns for the formation of numerous other sentences simply by the substitution of other words or word-groups of similar structure. To facilitate this process of substitution, a number of "sentence-building tables" have been compiled, in which several word-groups have been combined to give a large number of useful sentences. The student should read aloud as many combinations as possible by taking successively one entry from each column in the table, until they have become completely assimilated and each sentence can be instantly recalled.

Each sentence-building table illustrates an important construction, an irregular verb or a grammatical rule. A great deal of both oral and written practice can be based on them.

Each lesson terminates with a number of conversational idioms and set phrases, which, as they do not fit into any pattern, must be memorised separately. At the end of the book will be found additional exercises for class use and homework. Grammatical

5

explanations in systematic form are given in the second part of the book.

Everything in this book is intended to help the student to express himself correctly and fluently in French, and any items not directly serving this end have been deliberately excluded. It is not advisable, however, for a whole lesson to be spent on intensive study. The student should devote part of his time to the extensive reading of interesting and enjoyable texts. The most suitable reading material for learning the conversational language is to be found in modern plays, films, songs and so on, leading to the enjoyment of real French as heard on the radio and in the cinema, the theatre and the conversation of French people.

Modern colloquialisms have been largely excluded from the present book, as in the author's opinion it is the acquisition of a knowledge of the more permanent features of a language which is of primary importance. Colloquialisms are notoriously ephemeral—who uses the exclamation "wizard!" nowadays?—but on the other hand, a full understanding of present-day speech is impossible without a knowledge of some of the colloquialisms in current use.

Students have many and varied reasons for learning French; but it is certain that, no matter what their purpose may be, they will require a knowledge of the essential forms and constructions of the language, and it is these which this book attempts to teach.

J.H.

In conclusion, the author wishes to thank Mrs A. M. Garcia for her valuable assistance in preparing this revised edition.

CONTENTS

FLUENCY TEST

Can you say in French :

1. Do you smoke ?
2. Are you tired ?
3. What is your name ?
4. At what time does the train leave ?
5. It is cold to-day, isn't it ?
6. Do you like white wine ?
7. How many lumps of sugar do you take ?
8. I don't take sugar.
9. There is no butter on the table.
10. To-day is Tuesday, June 23rd.

If you cannot translate these ten sentences you should start with the first book in this series, *Beginners' French.*

ABBREVIATIONS

m. masculine.

f. feminine.

pl. plural.

p.p. past participle.

C.P. Construction de Phrases.

qn. quelqu'un.

qch. quelque chose.

so. someone.

sth. something.

Numbers in heavy type refer to the corresponding grammatical section.

LEÇON I

Entente Cordiale

[Un jour d'hiver, dans l'appartement de Monsieur et de Madame Hammond.]

ELLE (*regardant par la fenêtre*) : Quel temps affreux !

LUI : Console-toi. Dans deux mois nous serons au printemps.

ELLE : Quand auras-tu tes vacances cette année?

LUI : Ce n'est pas encore décidé. Je pourrai les prendre quand je voudrai. Pourquoi me le demandes-tu?

ELLE : Si, comme l'année dernière, nous avons nos vacances au milieu de la saison, il faudra retenir[1] une chambre à l'avance.

LUI : Moi, j'aimerais mieux prendre mes vacances au printemps.

ELLE : Moi aussi. Mais où aller?

LUI : Au bord de la mer, naturellement.

ELLE : J'aimerais aller à la montagne pour changer. L'année dernière nous sommes allés au bord de la mer, l'année précédente à la campagne. J'aime tant la montagne.

LUI : Tu sais que j'aime bien nager[2] ; cela m'empêche[3] de grossir.[4]

ELLE : Tiens, j'ai une idée. Si[5] nous allions à la montagne quelque part près d'un lac? Tu pourrais nager le matin et nous pourrions nous promener dans la forêt l'après-midi. On dit qu'il fait beau dans les Alpes au printemps.

LUI : C'est vrai, ton idée n'est pas mauvaise. Mais où aller? En France, en Suisse, en Autriche?

ELLE : Nous connaissons déjà l'Autriche et les Alpes orientales,[6] j'aimerais voir les Alpes occidentales.[7] D'ailleurs[8] c'est moins loin. J'irai demain à l'agence de tourisme prendre des renseignements.[9]

---

[1] to reserve.
[2] to swim.
[3] prevents.
[4] to put on weight.
[5] see explanation 102.
[6] eastern.
[7] western.
[8] besides.
[9] *les renseignements*, information ; *prendre des r.*, to make enquiries.

1. | Je connais[1] | la Suisse[2] | 2,* 6* |
|---|---|---|
| Tu connais | l'Autriche[3] | |
| Il connaît | la Chine | |
| Nous connaissons | le Japon | |
| Vous connaissez | le Portugal | |
| Ils connaissent | le Maroc | |
| Je connaîtrai | l'Inde | |
| Je connaîtrais | les États-Unis[4] | |
| J'ai connu | l'Europe | |
| J'avais connu | l'Asie | |
| Je désire connaître | l'Afrique | |
| Je voudrais voir | l'Amérique | |
| J'aimerais voir | l'Australie | |

[1] know.　　　　　　　　　　　　　[2] Austria.
[2] Switzerland.　　　　　　　　　　[4] United States.

2. | Je viens | du bureau | | 1,* 2* |
|---|---|---|---|
| Tu viens | de la gare | | |
| Il vient | de l'église | | |
| Nous venons | de France | | |
| Vous venez | de Suisse | | |
| Ils viennent | de Paris | | |
| Je viendrai | d'Allemagne | | |
| Je viendrais | du Canada | | |
| Je suis venu | des États-Unis | | |
| Je serais venu | ici | chaque semaine | |
| Il doit venir | à Paris | de temps en temps | |
| Il pourrait venir | en France | plusieurs fois par mois | |

3. | J'aurai mes vacances | au printemps | 45,* 62* |
|---|---|---|
| Tu auras tes vacances | en été | |
| Il aura ses vacances | en automne | |
| Nous aurons nos vacances | en hiver | |
| Ils auront leurs vacances | le 3 août | |
| Je serai à Bruxelles | après le 2 juillet | |
| Tu seras en Belgique | à la fin de septembre | |
| Il sera au Portugal | à partir du[1] 13 juillet | |
| Vous serez en Inde | assez tôt[2] cette année | |
| Ils seront à la campagne | très tard cette année | |

[1] à partir de, starting from.　　　　[2] early.
*The numbers refer to the corresponding grammatical explanations.

4.

Je vais	à Paris
Tu vas	à la campagne
Il va	à la montagne
Nous allons	en France
Vous allez	en Espagne
Ils vont	au bord de la mer
J'allais	en Allemagne
Je suis allé	au Danemark
J'irai	au Canada
Tu iras	au Portugal
Ils iront	aux États-Unis
J'irais	en auto
Je veux aller ·	en avion
Je voudrais aller	par le train
J'aime aller	par mer
Je préfère aller	à bicyclette
Voudriez-vous aller	en motocyclette

5.

	est			
Le printemps	est	assez	sec[1]	en France
L'été		très	humide[2]	en Suisse
L'automne		souvent	beau	au Portugal
L'hiver		toujours	mauvais	au Maroc
Janvier		quelquefois	froid	aux Indes
Février	n'est jamais		chaud	dans les Alpes

[1] dry.   [2] wet.

6.

	qu'			
On dit	qu'	il fait beau	en Écosse	au printemps
Je crois		il fait froid	au Portugal	en été
Je sais		il fait chaud	en Suisse	en automne
Je suis sûr		il pleut beaucoup	aux Indes	en hiver
Il est certain		il ne pleut pas	en Afrique	en mars
Je pense		il ne neige jamais	du Sud	en avril
		il y a du soleil	au Moyen-	cet été
		il y a du	Orient[3]	cette année
		brouillard[1]	en Amérique	en ce moment
		il y a des orages[2]	du Nord	
			dans les Alpes	
			sur les Îles	
			Anglo-	
			Normandes[4]	

[1] fog.   [3] Middle East.
[2] storms.   [4] Channel Isles.

7.	J'aime			
	J'aimerais	bien	aller en Suisse	**15, 20**
	Tu aimerais	mieux[1]	aller au Canada	
	Il aimerait		partir tout de suite	
	Ils aimeraient		voyager par mer	
	Nous aimerions		passer les vacances à la campagne	
	Vous aimeriez		faire des promenades en forêt	
			prendre des bains de mer	

[1] *aimer mieux = préférer.*

SALUTATIONS

EN ARRIVANT ET EN PARTANT

Bonjour,	monsieur.
	madame.
Bonsoir,	mademoiselle.
	messieurs.
Au revoir,	mesdames.
	mesdemoiselles.

On peut saluer une personne en négligeant[1] le *bonsoir* ou le *bonjour* et en utilisant seulement le mot *monsieur, madame* ou *mademoiselle* : par exemple, en entrant dans la salle à manger de l'hôtel, pour marquer un signe de politesse à une personne assise à votre table ou à une table voisine.[2]

En français il n'est pas d'usage d'ajouter[3] le nom de famille aux appellations *monsieur, madame* ou *mademoiselle*. Entre amis on peut dire *mon ami, mon cher ami, mon vieux* (le dernier pour un ami très intime).

Bonjour et *bonsoir* peuvent se dire en partant ainsi qu'en arrivant, toujours suivi d'une des appellations mentionnées, ou du prénom s'il s'agit d'un ami intime.

Bonne nuit ne s'emploie qu'au moment où l'on se sépare pour rentrer se coucher.

En prenant congé[4] d'un ami ou d'une personne de connaissance[5] on dit : *à bientôt ; à tout à l'heure*[6] *; à tantôt*[7] *; à ce soir, à demain ; à mardi ; au plaisir (de vous revoir).*

[1] neglecting, omitting.
[2] *voisin, -e*, neighbouring.
[3] to add.
[4] *prendre congé*, to take leave.
[5] acquaintance. ●

[6] see you later.
[7] généralement se dit le matin à quelqu'un que l'on reverra l'après-midi.

Mes compliments à	(monsieur) votre père.
Bien des choses à	(madame) votre mère.
Un bon souvenir à	(mademoiselle) votre sœur.
Veuillez me rappeler au bon souvenir de	tous les vôtres.

À quoi l'on répond : "Merci, monsieur, je n'y manquerai pas."

[1] *faire transmettre*, to convey.

AUTRES SALUTATIONS

Bonne promenade. Bon appétit. Bon amusement. Bon séjour.[1] Bon repos.[2] Bonnes vacances. Bonne chance.[3] Bonne fête.[4] Bon voyage. Bonne route.[5]

À quoi l'on répond : "Merci, monsieur " ou " Merci, également.[6]"

[1] stay.
[2] rest.
[3] good luck.
[4] before a public holiday.
[5] before a road journey.
[6] likewise.

Au Bureau de Renseignements

A : MADAME HAMMOND   B : L'EMPLOYÉ DU BUREAU

A : Bonjour, monsieur.

B : Bonjour, madame. En quoi puis-je vous servir ?

A : Nous voulons passer nos vacances dans les Alpes, mais ne savons pas où aller. Nous ne sommes plus jeunes et nous cherchons un endroit[1] où l'on trouve des promenades agréables mais pas trop fatigantes.

B : Quelle partie des Alpes préférez-vous ?

A : Nous connaissons déjà les Alpes autrichiennes et suisses et nous aimerions bien aller dans les Alpes françaises.

B : En quelle saison prenez-vous vos vacances ?

A : Mon mari[2] pourra les prendre quand il voudra. Nous préférons partir au printemps plutôt[3] qu'en été.

B : Dans ce cas je vous conseille[4] de partir à la fin du mois de mai ou en juin. Les hôtels ne sont pas bondés[5] et les prés[6] sont remplis[7] de fleurs.

A : Pourriez-vous nous recommander un endroit agréable ? Nous aimerions bien être près d'un lac.

B : Voici quelques brochures illustrées : l'une du lac Léman, l'autre du lac d'Annecy et de leurs environs. Plusieurs localités y sont décrites.[8] Je vous donne aussi ce guide des Alpes françaises qui contient des renseignements sur toutes les villes et presque tous les villages de la région. Vous y trouverez une liste d'hôtels avec des chambres à tous les prix.

A : Merci beaucoup, je vais examiner tout cela avec mon mari.

---

[1] place.
[2] husband.
[3] rather.
[4] advise.

[5] crowded.
[6] *le pré*, meadow.
[7] *remplir*, to fill.
[8] *décrire*, to describe.

1.	Je sais*	nager	**71 (c), 80**
	Tu sais	conduire[1]	
	Il sait	réparer cela	
	Nous savons	lire l'espagnol	
	Vous savez	où se trouve cet endroit	
	Ils savent	aller à cheval[2]	
	Je saurai	qu'il faut passer la douane	
	Je saurais	qu'il faut avoir un passeport	
	J'ai su	qu'il n'y a pas assez d'essence[3]	
	On doit savoir	ce que cela veut dire[4]	
	Je ne sais pas	pourquoi il n'y en a pas	

[1] to drive.
[2] to ride a horse.
[3] *l'essence* (*f.*), petrol.
[4] what that means.

2.	Je connais*	très bien	ce monsieur	**14, 70 (c)**
	Tu connais	parfaitement	cette dame	
	Il connaît	mal	cet endroit	
	Nous connaissons	un peu	le chemin	
	Vous connaissez	assez bien	sa maison	
	Ils connaissent		cette règle[1] de grammaire	
	Je connaissais		le code de la route[2]	
	J'ai connu		sa famille	
	Je connaîtrai		cette question	
	Tu dois connaître		la région	

[1] rule.
[2] highway code.

*N.B. savoir, to know (in the sense of *having learned it* or *be informed about it* ; also *to know how to*).
connaître, to know (in the sense of *to be acquainted with*).

3.	Veuillez	me	recommander un hôtel	**24, 71 (c)**
	Pourriez-vous[1]	nous	donner quelques adresses	
	Pouvez-vous	lui	fournir[4] ces renseignements	
	Ils peuvent	leur	traduire[5] cette lettre	
	Ils pourront		dire où se trouve cette rivière	
	Ils croient pouvoir[2]		indiquer[6] l'endroit sur la carte	
	Il a pu		procurer[7] un plan de la ville	
	Ils auraient pu[3]		retenir[8] une chambre d'avance	

[1] could you.
[2] they believe they can.
[3] could have.
[4] to supply.
[5] to translate.
[6] to indicate, to point out.
[7] to obtain.
[8] to book.

17

4.

		71 (g), 80
Je veux	passer les vacances à la campagne	
Il veut	escalader[3] des montagnes	
Nous voulons	rester chez nous	
Vous voulez	faire du canotage[4]	
Ils veulent	aller camper	
J'ai voulu	faire le tour du pays	
Je voudrai	rouler à bicyclette	
Je voudrais	voyager en autocar[5] à travers[6] l'Europe	
J'ai voulu	prendre des bains de mer	
Il semble vouloir[1]	faire une cure dans une station thermale	
J'aurais voulu[2]	traverser la Manche[7] à la nage	
J'aimerais	y aller tout de suite	
Je préférerais	partir ce soir	
J'aimerais mieux	vivre[8] près de la mer	

[1] seems to wish.
[2] would have liked.
[3] to scale; to climb.
[4] to row.

[5] coach.
[6] à travers, across.
[7] the English Channel.
[8] to live.

60 (b), 115 (f)

5.

Je voudrais	une chambre	à un lit
J'aimerais mieux		à deux lits
Voulez-vous me montrer		avec un lit à deux
Je leur ai retenu[1]		personnes
		avec des lits jumeaux[2]

[1] retenir, to reserve.

[2] twin beds.

6.

				25, 27
Voulez-vous	me	le	montrer?	
Pouvez-vous	nous	la	payer?	
Devez-vous		les	rendre?[1]	
Pensez-vous			envoyer?[2]	
Aimeriez-vous	le	lui	offrir?	
Désirez-vous	la	leur	vendre?[3]	
Souhaitez-vous	les		prêter?[4]	
	m'	en		
	nous			
	lui			
	leur			

[1] to give back.
[2] to send.

[3] to sell.
[4] to lend.

18

7.	Il peut		le	lui	donner	**25, 27**
	Ils peuvent	₵	la	leur	montrer	
	Il pouvait		les		prêter[3]	
	Il a pu				rendre	
	Ils ont pu				faire	
	Il pourrait		vous	le	commander[4]	
	Il aurait pu		te	la	apporter	
	Il croit pouvoir[1]		me	(l')	vendre	
	Il pourra		nous	les	envoyer	
	Nous aurions pu				acheter	
	Il veut		lui	en	louer[5]	
	Il doit		m'		chercher	
			t'			
			vous			
	Il est possible de		leur			
	Cela ne lui fait rien de[2]		nous			

[1] he believes he can.
[2] does not mind.
[3] to lend.
[4] to order.
[5] to let, to rent.

8.	Je préfère	le vin blanc	**68 (f), 115 (a)**
	Tu préfères	les fraises[1]	
	Il préfère	le printemps à l'été	
	Ils préfèrent	le thé au café	
	Nous préférons	les pommes aux poires[2]	
	J'ai préféré	le vert au jaune	
	Je préférerai	le jour à la nuit	
	Je préférerais	la laine[3] au coton	

[1] *la fraise*, strawberry.
[2] *la poire*, pear.
[3] *la laine*, wool.

FORMULES DE CONVERSATION

RÉPONSE AFFIRMATIVE

C'est ça. Je crois bien. Évidemment. Exactement. Justement. Parfaitement. Vous avez (parfaitement) raison. (Mais) Certainement. Entendu.[1] D'accord.[2] Oui vraiment. Sûrement. Assurément. Précisément. Bien sûr. Sans (aucun) doute. C'est clair. Il n'y a pas de doute. Très vrai. Tout à fait vrai. C'est (bien) vrai.

[1] agreed (from *entendre*).
[2] short for *je suis d'accord*.

Cela s'entend. **Cela va sans dire.** Pour autant que je sache.[3] J'en suis convaincu.[4] À la bonne heure![5] Je crois que oui. Je crois que si.[6] (Mais) si.[7] Ça oui.[7] Ça y est.[8]

[3] as far as I know (from *savoir*).
[4] convinced (from *convaincre*).
[5] well done ; that's right.
[6] in reply to a question put in the negative, e.g. " *Vous ne sortez pas ?* " — " *Mais si je sors.*"

[7] yes indeed.
[8] that's it

RÉPONSE ÉVASIVE

Vous croyez? Croyez-vous? Vraiment? C'est (bien) possible. Probablement. C'est difficile à dire. Cela dépend. Je n'en suis pas sûr. Pas tout à fait.[1] C'est bien douteux. Êtes-vous bien sûr que ce soit vrai? C'est peu probable à mon avis.[2] Pour ma part j'en doute. Il se peut qu'il en soit ainsi. Si je le savais, je vous le dirais volontiers.[3] C'est ce que je ne sais pas exactement. À mon avis c'est peu probable.

[1] not entirely.
[3] *à mon avis*, according to my opinion.

[3] gladly.

RÉPONSE NÉGATIVE

Ah non! (Pas) du tout.[1] Je ne (le) crois pas. Jamais de la vie. Aucunement.[2] En aucun cas. Assurément non ! Vous vous trompez.[3] Vous êtes dans l'erreur. Au contraire. Pas que je sache.[4] Ce n'est pas possible. Vous plaisantez ![5] Ah, non, par exemple ![6] Je ne suis pas d'accord. Je ne suis pas de votre avis.

[1] not at all.
[2] not in the least.
[3] you are mistaken.

[4] not that I know of.
[5] you are joking.
[6] no, indeed!

La Décision

[Le soir Monsieur et Madame Hammond étudient les brochures qu'ils ont reçues de l'agence.]

ELLE : Que penses-tu d'Évian ? C'est au bord du lac Léman et ce doit être un bon centre d'excursions.

LUI : C'est une ville d'eau[1] très fréquentée et ce que nous cherchons c'est un petit endroit tranquille.

ELLE : Annecy ? C'est aussi au bord d'un lac. Il doit y avoir une plage[2] pour se baigner.[3] Regarde comme c'est joli.

LUI : C'est tout près du lac. Ne vaudrait-il[4] pas mieux aller un peu plus haut pour mieux jouir[5] de la vue ?

ELLE : Tu as raison, comme toujours, mon chéri.[6] Voilà un endroit à 700 mètres d'altitude environ.[7] Vue magnifique sur le lac et les montagnes.

LUI : C'est trop loin de l'eau. Mais regarde ici. Duingt. Sur l'autre rive, et ce n'est pas si loin du lac. De là nous pourrions aller nous baigner tous les jours.

ELLE : On pourrait écrire pour se renseigner.[8]

[1] watering-place.
[2] beach.
[3] to bathe.
[4] see **71 (i)**.
[5] to enjoy.

[6] darling.
[7] approximately.
[8] *se renseigner = prendre des renseignements.*

CONSTRUCTION DE PHRASES

30, 71 (i)

1.	Cela	vaut[3]	au moins[4]	deux mille francs
	Cette bague[1]	vaudra	au plus[5]	un million
	Ce collier[2]	valait	à peu près[6]	trois cents francs

[1] ring.
[2] necklace.
[3] is worth (from *valoir*).

[4] at least.
[5] at most.
[6] approximately.

2. Je voudrais[1] | être riche   **71, 80**
   Vous devez[2] | bien savoir parler français
   Vous devriez[3] | y penser

[1] I wish, I would.   [3] **you** ought to.
[2] you must.

3. Cela | vaut | la peine[1] | de le voir   **27, 71 (i)**
      | a valu | | d'y aller
      | vaudra | | d'y monter
      | vaudrait | | de s'y arrêter

Il vaut | mieux[2] | lui en parler
Il vaudrait | | le leur demander

[1] *la peine*, the trouble ; *cela vaut la*   [2] *il vaut (vaudrait) mieux*, it is (would
peine, it is worth while.   be) better.

4. Il y a | une plage   **4, 25**
   Il y avait | un court de tennis
   Il y aura | de la musique
   Il doit y avoir | des framboises[1]
   Il devrait y avoir | quelques chambres à louer[2]
   Il peut y avoir | des baigneurs[3]
   Il pourrait y avoir | des ronces[4]

[1] *la framboise*, raspberry.   [3] bathers.
[2] to let.   [4] *la ronce*, bramble.

5. Je dois[1] | partir   **71 (a), 80**
   Tu dois | le faire
   Il doit | travailler ce soir
   Nous devons | le connaître
   Vous devez | le savoir
   Ils doivent | arriver à 8 heures
   Je devrai | le lui dire
   J'ai dû | être au café avant lui
   Je devrais[2] | le lui demander
   J'aurais dû[3] | lui demander pardon
   Je crois devoir | lui écrire

[1] *devoir*, to owe, also expresses obligation (to have to, must, should, ought to)
   and supposition (must be, is to, surely has).
[2] ought to.   [3] ought to have.

6.	Je vous dois[1]	100 francs	**71(a)**
	Vous me devez	beaucoup d'argent	
	Il nous doit	des excuses	
	Elle lui doit	le prix du billet	
	Ils leur doivent	une semaine de loyer[2]	

[1] owe (from *devoir*).　　　　　　　　　　　[2] rent.

7.	Qu'est-ce qui	se trouve dans cette boîte	**35, 42**
	Dites-moi ce qui	vous a retardé[1]	
	Qu'est-ce que	vous cherchez	
	Dites-moi ce que	vous préférez	

[1] delayed.

8.	Ce que	je cherche	c'est	un endroit peu fréquenté **42, 111**
		je préfère		une station thermale[1] où l'on
		je voudrais		soigne[2] les rhumatismes
		j'aime bien		un hôtel tout près du casino
		j'aimerais		une chambre avec vue sur la mer
		mieux		une pension plus modeste

[1] health resort.　　　　　　　　　　　[2] *soigner*, to treat.

9.	J'ai	raison[1]			**90, 115 (b)**
	Tu as	tort[2]			
	Il a	faim			
	Nous avons	froid aux pieds			
	Vous avez	chaud aux mains			
	Ils ont	soif			
	J'avais	mal aux dents[3]			
	J'aurai	mal à l'estomac[4]			
	Tu auras	envie[5]	de	le faire	
	J'aurais	besoin[6]		les prendre	
	J'ai eu	l'intention		la manger	
	Ils ont eu	l'habitude			
	Il doit avoir	peur[7]	d'	y aller	
				en boire	

[1] *avoir raison*, to be right.　　　　　　[5] *avoir envie*, to wish.
[2] *avoir tort*, to be wrong.　　　　　　[6] *avoir besoin*, to need.
[3] toothache.　　　　　　　　　　　　[7] *avoir peur*, to be afraid.
[4] stomach-ache.

10. Comme[1] | c'est | joli !
Que[1] | cela doit être | excellent !
 | | parfait !
 | | drôle ![2]
 | | amusant !
 | | mignon ![3]
 | | appétissant !
 | | affreux ![4]
 | | ridicule !
 | | dégoûtant ![5]
 | | ennuyeux ![6]
 | | horrible !

[1] how . . . it is!　　　　　[4] awful.
[2] funny.　　　　　　　　　[5] disgusting.
[3] sweet.　　　　　　　　　[6] tedious ; a nuisance.

FORMULES DE CONVERSATION

SATISFACTION

Parfait !
Tant mieux ![1]
À la bonne heure !

J'en suis | enchanté. | | C'est | merveilleux.
 | charmé. | | | magnifique.
 | ravi.[2] | | | formidable.[3]
 | très | content. | | admirable.
 | bien | heureux. | | charmant.
 | fort | satisfait. | | ravissant.

[1] so much the better ; I'm very glad;　　[2] delighted.
　good !　　　　　　　　　　　　　　　　[3] tremendous, fantastic.

REGRET

Tant pis ![1] | J'en suis | fâché.[4] | C'est | dommage.
Quel dommage ![2] | | désolé.[5] | | fâcheux.[7]
Quel malheur ![3] | | navré.[6] | | (bien) triste.
 | | | | regrettable.
 | | | | navrant.[8]
 | | | | désolant.[9]

[1] so much the worse ; it can't be　　　[5] very sorry.
　helped ; what a pity !　　　　　　　　[6] dreadfully sorry.
[2] what a pity !　　　　　　　　　　　[7] annoying.
[3] misfortune.　　　　　　　　　　　　[8] heartbreaking.
[4] sorry.　　　　　　　　　　　　　　　[9] distressing.

ÉTONNEMENT

Tiens ![1]   Tiens, tiens ![2]   Vraiment ?[3]   Pas possible ![4]

C'est | (bien) étonnant.[5]
      | curieux.
      | étrange.[6]
      | incroyable.[7]

[1] I say!
[2] indeed ? well, well !
[3] is that so ?
[4] you don't say so!

[5] astonishing.
[6] strange.
[7] unbelievable.

La Correspondance

ELLE : Alors nous allons à Duingt ?

LUI : D'accord.

ELLE : Voilà la liste des hôtels. On n'en indique que trois.

LUI : Eh bien, écrivons-leur, à tous les trois !

ELLE : Excellente idée. Il vaut mieux le faire tout de suite. Je ferai la vaisselle[1] pendant que[2] tu écriras. Tu n'as pas besoin[3] de m'aider[4] pour une fois.[5]

[Il écrit à chacun[6] des trois hôtels une lettre semblable[7] à celle qui se trouve à la fin de ce livre (p. 164).

Quelques[8] jours plus tard ils reçoivent[9] trois réponses affirmatives qui disent à peu près[10] la même chose, sauf[11] les prix qui sont légèrement différents. Ils choisissent l'hôtel dont l'apparence leur plaît[12] le mieux car[13] chaque lettre contenait un dépliant[14] illustré.]

LUI : Nous n'avons pas encore décidé comment nous voyagerions: en avion, en chemin de fer, ou en auto ?

ELLE : En auto ? Mais nous n'en avons pas.

LUI : On trouve des automobilistes qui emmènent[15] des passagers pour partager[16] les frais.[17]

ELLE : Je n'aimerais pas voyager avec des gens que nous ne connaissons pas. J'aimerais mieux aller en avion. Nous ne l'avons jamais fait et nous devrions l'essayer.[18]

LUI : Entendu[19] ; je passerai demain à l'agence de voyage pour retenir les places.

---

[1] plates and dishes ; *faire la vaisselle*, to wash up.
[2] *pendant que*, while.
[3] (there is) no need.
[4] to help.
[5] once.
[6] each.
[7] similar.
[8] a few.
[9] *recevoir*, to receive (C.P.2).
[10] *à peu près*, approximately.
[11] except.
[12] pleases (from *plaire*).
[13] for.
[14] folder.
[15] *emmener*, to take along.
[16] to share.
[17] costs.
[18] try.
[19] agreed (from *entendre*).

1.	Je fais	toujours	la chambre	comme ça	**14, 18**
	Nous faisons	généralement	la vaisselle	autrement	
	Vous faites	souvent	la cuisine	de cette façon	
	Je ferai	quelquefois	les malles[1]	d'une autre façon	
	J'ai fait	de temps en temps	le ménage[2]	de la même façon	
	Tu peux faire	habituellement	la paix	d'une autre manière	

[1] *faire les malles*, to do the packing. [2] housework.

2.	Je reçois	beaucoup de lettres	**56, 71 (d)**
	Tu reçois	leur réponse par retour du courrier[1]	
	Il reçoit	peu de visites	
	Ils reçoivent	tant de brochures publicitaires	
	Je recevrai	tous les renseignements[2] nécessaires	
	Je recevrais	toutes les précisions[3] utiles[4]	
	J'ai reçu	tout ce qu'il faut	
	Il doit recevoir	beaucoup de réclamations[5]	

[1] return of post. [4] useful.
[2] information. [5] complaints.
[3] details.

3.	Je choisis	un petit endroit pas trop fréquenté	**43, 58**
	Tu choisis	un hôtel recommandé par l'agence de tourisme	
	Il choisit	celui qui a l'air[1] le plus gai	
	Nous choisissons	une auberge de jeunesse[2] dans les montagnes	
	Vous choisissez	celle qui se trouve au centre de la ville	
	Ils choisissent	celui qui est le meilleur marché[3]	
	Je choisirai	une route qui traverse un beau paysage	
	Je choisirais	la traversée la plus courte	
	J'ai choisi	un taxi dont le chauffeur connaît bien le chemin	
	Il faut choisir	un terrain de camping dans un beau site	

[1] *avoir l'air*, to look (like). [3] *le meilleur marché*, cheapest.
[2] youth hostel.

4.	Voici	le dépliant[1] de l'hôtel	dont	il nous a parlé	**41**
		la brochure du terrain		nous avons entendu	
		de camping		parler	
		l'adresse de l'auberge		je connais le propriétaire	
		les précisions[2] sur le		je vous ai montré une	
		chalet		photo	

[1] folder. [2] details.

27

5.

Tu lis	très bien
Tu écris	trop vite
Vous lisez	assez bien
Vous écrivez	aussi bien que lui
Ils lisent	beaucoup mieux que moi
Ils écrivent	plus que nous
Vous lisiez	moins que lui
Vous écriviez	autant[1] qu'eux
Vous avez lu	tout le temps
Vous avez écrit	presque toujours
Vous lirez	autant que possible
Vous écrirez	bien le français
Tu peux | lire	l'anglais mieux que le français
| écrire	sans faire de fautes[2]

[1] *autant que*, as much as. [2] *la faute*, mistake.

6. Il a mangé

tout le beurre
toute la viande
tous les gâteaux
toutes les sardines
tout

56

2, 56, 114 (l), 115 (l)

7.

Ils travaillent	tout	le dimanche[3]
Ils jouent du piano		le temps
Ils jouent aux cartes		le matin
Ils s'amusent	toute	l'après-midi
Ils font du bruit[1]		la journée
Elles tricotent[2]		la nuit
Elles tapent à la machine		
Ils lisent des journaux	tous	les dimanches[4]
Ils écoutent la radio		les après-midi
Ils regardent la télévision		les jours

[1] noise. [3] *tout le dimanche*, all day Sunday.
[2] knit. [4] *tous les dimanches*, every Sunday.

8.

Cela	me	plaît[1]	bien	
Ce village	te	plaisait	mieux	
Cet hôtel	vous	a plu	énormément	
Cette ville	nous	plaira		
	lui	plairait		
	leur	aurait plu		

20, 70 (m)

[1] pleases (i.e. I like it).

Cela	doit	me	plaire[1]
	devra	te	faire plaisir
	devrait	vous	
	a dû	lui	
	aurait dû	leur	

[1] please.

9. Il	m'	a	répondu	jeudi	**61 (a, b)**
Elle	t'	avait	donné ceci	en juin	
On	lui		dit tout cela	il y a quelques jours	
	leur		envoyé l'autre	à ce moment-là	
	nous		offert celui-là	quand vous êtes venu(s)	
	vous				

FORMULES DE POLITESSE

EN ACCEPTANT CE QU'ON VOUS OFFRE (*par exemple une cigarette*)
Oui, merci. Bien volontiers. Je veux bien.
"Merci" en réponse à quelque chose offert peut signifier un refus.[1]

SI ON N'A PAS COMPRIS CE QUI A ÉTÉ DIT
Plaît-il, monsieur ? Vous disiez, monsieur ?

POUR DEMANDER LA PERMISSION OU POUR S'EXCUSER (*par exemple
  en passant devant quelqu'un*)
Permettez-moi. Pardon monsieur. Excusez-moi. Ça ne vous fait
  rien que je . . .[2]
Réponse : Faites donc. Je vous en prie.

EN PRÉSENTANT[3] QUELQU'UN
J'ai le plaisir (ou l'honneur) de vous présenter M. . . . X.
Réponse : (Je suis) enchanté(e), m. . . . , (de faire votre connaissance).

EN PARTANT
Enchanté(e), m. . . ., d'avoir fait votre connaissance.

[1] refusal.   [2] You don't mind my . . .   [3] introducing.

Préparatifs de Voyage

LUI : Je viens[1] de louer les places. Nous voyagerons de nuit. C'est meilleur marché. Nous quitterons Londres à une heure trente et nous arriverons à Genève vers quatre heures. Nous aurons le temps de visiter la ville et nous pourrons prendre notre petit déjeuner avant de repartir par le premier train. Ce n'est plus qu'un court voyage à partir de là.[2]

ELLE : En tout cas ça vaut mieux que de rester dans le train toute la journée et toute la nuit.

LUI : Ce sera beaucoup moins fatigant en avion. Dire que nous serons à Genève en moins de temps qu'il n'en faut pour aller de Londres à Torquay !

ELLE : C'est incroyable ! Maintenant il s'agit de[3] penser aux préparatifs de voyage.

LUI : Avant tout, il te faut des souliers de marche[4] bien solides. La dernière fois tu en avais de trop légers et tu ne pouvais pas t'empêcher[5] de glisser.[6] Il faut aussi passer à la banque pour prendre des chèques de voyage et aussi de l'argent suisse et français.

ELLE : Ce qu'il te faut c'est un bon sac à dos.[7] Nous ferons des excursions et il faudra pouvoir emporter de quoi manger.

LUI : Je vais d'abord descendre la malle[8] du grenier.[9]

ELLE : Nous n'avons vraiment pas besoin de cette vieille malle avachie.[10] Je vais d'ailleurs la jeter.[11] Les deux valises suffiront[12] bien.

LUI : Surtout n'y mets pas trop de choses comme tu le fais d'habitude.[13]

[1] see C.P.I.
[2] from there onwards.
[3] il s'agit de, it is a matter of; we have to.
[4] walking shoes.
[5] to prevent.
[6] to slip.
[7] rucksack.
[8] trunk.
[9] loft.
[10] worn out.
[11] to throw away.
[12] from suffire, to be sufficient.
[13] usually.

1.

Je vais		louer[2] des places	**79, 80**
Tu vas		retenir une chambre	
Il va		acheter des billets	
Nous allons		le lire	
Vous allez		le faire	
Ils vont		arriver	
Je viens[1]	de	leur parler	
Tu viens	(d')	descendre les valises	
Il vient		le lui donner	
Nous venons		les leur envoyer	
Vous venez		sortir le chien	
Ils viennent		prendre des renseignements	
		mettre les lettres à la poste	
		apprendre une bonne nouvelle	

[1] *venir de faire qch*, to have just done sth.   [2] to hire ; to book.

2.

Il peut	me	le	recommander[1]	**27**
Ils peuvent	nous	la	présenter[2]	
	vous	les	prêter[3]	
	te		donner[4]	

[1] to recommend ⎱
[2] to introduce ⎰ it, him, her, them *to* me, us, you.
[3] to lend
[4] to give

Voulez-vous	me	recommander[1]	à	lui
Pouvez-vous	nous	présenter[2]		elle
		conduire[3]		eux
				elles

[1] to recommend ⎱
[2] to introduce ⎰ me, us *to* him, her, them.
[3] to take

3.

J'ai besoin	de	quelques mouchoirs	**87, 90**
J'aurai besoin	d'	deux ou trois chemises	
		plusieurs paires de chaussettes	
Je dois avoir		une valise	
Il me faut		un sac de voyage	
Je devrais avoir		un panier[2] pour y mettre de	
Il me faudra		quoi manger	
Vous feriez mieux[1] d'acheter		une paire de lunettes de soleil[3]	

[1] you'd better.   [2] basket.   [3] sun-glasses.

31

4.			
Il faut	le faire	tous les jours[4]
Il fallait	y aller	chaque semaine
Il faudra	finir cela	tous les dimanches
Il faudrait	en acheter	tous les quinze jours[5]
Il vaut mieux[1]	le lui dire	de temps en temps
Il valait mieux	lui télégraphier	à ce moment-là
Il vaudra mieux	lui écrire	chaque fois
Il vaudrait mieux	payer la facture[2]	deux fois par semaine
Il a mieux valu	retenir les places	d'avance
Il aurait mieux valu	se renseigner[3]	tout de suite[6]

[1] it is better.
[2] bill.
[3] to enquire.

[4] every day.
[5] every fortnight.
[6] at once.

5. Il

me	faut[1]	un passeport
(m')	fallait	un permis de conduire[2]
te	a fallu	des chèques de voyage
(t')	faudra	de l'argent français
vous	faudrait	de la petite monnaie[3]
nous	aurait fallu	de bons souliers
lui		
leur		

[1] I (you, we, etc.) need.
[2] driving licence.

[3] small change.

6. Ce qu'il[1]

me	faut	avant tout[3]	c'est	une canne
(m')	faudra	d'abord[4]		un sac à dos
te	faudrait	ensuite[5]		une moustiquaire[6]
(t')	aurait	immédiatement		
lui	fallu	maintenant	ce sont	de bons souliers
leur	manque[2]	après		des vêtements
nous				légers
vous				des lunettes de
				soleil

[1] what.
[2] lacks (is missing).
[3] above all.

[4] first.
[5] afterwards.
[6] mosquito-net.

7. Il vaut mieux

aller par avion	que	de rester ici toute la nuit
partir ce soir		d'attendre plus longtemps
prendre le train		de se faire conduire par lui

8.

		dans	
Je jette[1]	les pelures d'oranges		la corbeille[4] à papiers
Tu jettes	les bouts[2] de cigarettes		le cendrier[5]
Il jette	les débris		la boîte à ordures[6]
Nous jetons	les vieux papiers		la cheminée
Vous jetez	les déchets[3]		la poubelle[6]
Ils jettent	cette lettre		les toilettes
Je jetterai	les pierres		la boîte aux lettres
Je jetterais	ma balle		la mare[7]
J'ai jeté			le jardin voisin
Il ne faut pas jeter			la rue

[1] throw. [3] refuse. [5] ash-tray. [7] pool, pond.
[2] ends. [4] basket. [6] dustbin.

9.

	de quoi[1]		**37**
Donnez-moi		manger
Je n'ai pas		écrire
Il n'y a pas		faire la cuisine[2]

[1] something to eat (write, etc.) with. [2] do the cooking.

10.

J'ai				**65**
	vu	votre frère	hier
	entendu	leur cousin	ce matin
	rencontré[1]	vos parents	l'an passé
	parlé à	votre professeur	jeudi
	écrit à	nos amis	il y a quelques jours[2]
	donné l'adresse à	votre sœur	mardi dernier

Je	l'	ai	vu*	la semaine dernière
	les		rencontré*	l'autre jour[3]
				avant-hier
Je	lui	ai	parlé	au bureau
	leur		écrit	

[1] met. [2] some days ago. [3] the other day.
* add -e if l' stands for a feminine noun; -s or -es according to whether les stands for a masculine or feminine noun.

11.

	me			**18**
Venez		voir ici	demain
Pouvez-vous venir	(m')	chercher[1]	tous les jours
Voulez-vous venir	nous	aider	tout de suite
Il viendra	le	conduire	régulièrement
Viendra-t-elle	la	accompagner	à midi
	(l')		
	les		

[1] venir chercher, to call for.

12.			70 (k)
Je mets	du sel	dans la soupe	
Tu mets	de l'huile[1]	dans la salade	
Il met	du poivre[2]	dans le ragoût	
Ils mettent	du vinaigre[3]	sur le fromage	
Nous mettons	des fines herbes[4]	dans l'omelette	
Je mettrai	un peu de cognac	dans la sauce	
J'ai mis	de l'ail[5]	sur le gigot	
J'aurais mis	quelques[6] oignons	sur les petits pois	
Il faut mettre			

[1] oil.
[2] pepper.
[3] vinegar.
[4] seasoning herbs.
[5] garlic.
[6] a few.

FORMULES DE REMERCIEMENT(S)

Merci	bien	monsieur.
	beaucoup	madame.
	mille fois	mademoiselle.

Je vous remercie	de votre bon accueil.[1]
	de tout ce que vous avez fait pour nous.
	de l'avoir fait si vite.
	de nous avoir préparé un si bon dîner.

Vous êtes bien aimable.[2]
C'est bien aimable à vous.
Je vous suis bien reconnaissant.[3]

[1] reception, welcome. [2] kind. [3] grateful.

REPLIES TO THE ABOVE

À votre service,	monsieur.
De rien,	madame.
(Il n'y a) pas de quoi,[1]	mademoiselle.

[1] don't mention it.

34

Le Départ

A : MONSIEUR HAMMOND   B : MADAME HAMMOND
C : L'HÔTESSE DE L'AIR

[À 23 heures Monsieur et Madame Hammond sont prêts à partir. Ils téléphonent pour demander un taxi. Le chauffeur les aide à descendre leurs bagages. Arrivés à l'aéroport les bagages sont pesés.[1] Heureusement il n'y a pas d'excédent.[2]

Dès que[3] le numéro de leur vol[4] est appelé, ils passent d'abord à la douane, ensuite au contrôle des passeports. Puis ils suivent[5] l'hôtesse de l'air qui les conduit,[6] avec les autres passagers, à un quadrimoteur[7] de Swissair. Dès qu'ils sont installés à leurs places l'hôtesse les prie d'attacher leurs ceintures[8] et on part. L'avion roule d'abord sur la piste d'envol,[9] puis il s'enlève presque imperceptiblement.]

B : On part.

A : On est parti.

B : Roulons-nous encore sur la piste ?

A : Mais non, regarde donc les roues ; nous montons.

B : Cela a été presque imperceptible.

[L'avion s'élève rapidement, de plus en plus haut, laissant derrière lui les lumières de la capitale. L'hôtesse leur dit qu'ils peuvent détacher leurs ceintures. Elle va de l'un à l'autre offrant des rafraîchissements et des journaux.]

C : Quel journal puis-je vous offrir ? *The Guardian ? Daily Mail ? Daily Telegraph ?*

A : Est-ce que vous n'auriez pas un journal en français ?

C : Mais si, bien sûr, voici le *Journal de Genève,* la *Gazette de*

[1] *peser,* to weigh.
[2] excess, overweight.
[3] *dès que,* as soon as.
[4] *le vol,* flight.
[5] *suivre,* to follow.
[6] *conduire,* to lead.
[7] four-engined plane.
[8] *la ceinture,* belt.
[9] *la piste d'envol,* runway.

Lausanne; j'ai aussi *Lui et Elle,* hebdomadaire[10] illustré. Je vous les laisse tous les trois.

A : Merci beaucoup : mais je n'aurai guère[11] le temps de lire tout cela.

B : Je n'ai pas envie[12] de lire. J'aime bien mieux regarder par la fenêtre.

A : Nous serons bientôt au-dessus des nuages, il n'y aura plus rien à voir.

[L'hôtesse revient, offrant des boissons chaudes, des sandwichs et des biscuits. Les Hammond choisissent du café et des biscuits.]

A : Le café est excellent.

B : Oui, il est bon. Et leurs biscuits sont délicieux.

C : Encore une tasse ?

B : Avec plaisir.

A : Merci bien, je n'en prends jamais plus d'une tasse. Le docteur me le défend.[13]

[10] *un hebdomadaire,* weekly publication.
[11] *ne . . . guère,* hardly.
[12] *avoir envie de,* to wish, to have a mind to.
[13] *défendre,* to forbid.

CONSTRUCTION DE PHRASES

I.

		70 (n)
Je prends	du café	
Tu prends	une bouteille de vin rouge	
Il prend	deux morceaux de sucre	
Nous prenons	tous les hors-d'œuvre	
Vous prenez	tout ce qu'il faut[1]	
Ils prennent	un peu de ceci	
Je prendrai	des leçons de français	
Je prendrais	mon tour[2] dans la queue	
J'ai pris	un bain de soleil	
J'aurais pris	des vacances en juin	
Tu peux prendre	des vêtements chauds	

[1] all that's required.
[2] turn.

2. Je conduis | une petite Renault   **70 (b)**
    Il conduit | une 15 CV[1]
    Nous conduisons | une camionnette[2]
    Vous conduisez | une moto[3]
    Ils conduisent | un camion[4] 10 tonnes
    Je conduirai | une conduite intérieure[5]
    J'ai conduit | une voiture[6] anglaise
    Tu devrais conduire | un groupe de touristes

[1] = *chevaux* (-*vapeur*).   [4] lorry.
[2] van.   [5] limousine.
[3] short for *motocyclette*.   [6] car.

3. Je suis[1] | l'hôtesse de l'air   **70 (p)**
    Tu suis | les autres passagers
    Il suit | un cours[2] de français
    Ils suivent | la voiture de tête
    Je suivrai | vos conseils[3]
    J'ai suivi | les leçons de français de la radio
    Il faut suivre | la rue jusqu'au bout

[1] follow (from *suivre*).   [2] course.   [3] advice.

4.   **79, 88**

Il	me (m')	suit
Elle	te (t')	conduit
On	nous	aide
	vous	demande
	le	suivra
	la	conduira
	(l')	mènera
	les	aidera

Il	me	dit	de	le faire
Elle	te	demande	(d')	la suivre
On	vous	conseille[1]		le prendre
	nous	défend[2]		y aller
	lui	permet		les y conduire
	leur	promet[3]		ne plus le faire

[1] advises.   [2] forbids.   [3] promises.

5.

Je vous défends*	de	le	regarder	**63, 79**
Il nous défend	(d')	la	prendre	
Vous me défendez		(l')	enlever[1]	
Ils nous défendent		les	soulever[2]	
Il est défendu		en	emporter[3]	
Il m'a défendu			ramasser[4]	
Il vous défendra			nettoyer[5]	
Il faut leur défendre				
Je vous prie		lui	parler	
Il faut lui dire		leur	écrire	
Il faut leur demander			demander de l'argent	
			envoyer des fleurs	

* or *je vous interdis* (from *interdire*, conjugated like *dire*).
[1] to take away.
[2] to lift.
[3] to take away.
[4] to pick up.
[5] to clean.

6.

Je suis		venu* ici	**65**
Tu es		arrivé* à Paris	
Il	est	parti* pour Nice	
Elle		sorti* de l'hôtel	
On		resté*[1] ici	
		revenu*[2] ici	
Ils	sont	rentré*[3] à l'hôtel	
Elles		monté* au premier étage	
Nous sommes		descendu* de l'échelle	
Vous êtes		tombé* de l'arbre	
Je serai		mort* de rire	
Je serais		retardé* par la pluie	
J'étais		dépassé* par l'autobus	
Il doit être			

[1] stayed.
[2] come back.
[3] returned.
* add -*e* for feminine, -*s* for plural.

7.

Il faut lui dire de	faire les malles[1]	ce soir	**79, 81**
Je lui ai demandé de	monter les bagages	cet après-midi	
Je vous prie de	descendre les valises	demain matin	
Il serait nécessaire de	mettre la table	tout de suite	
Il me paraît impossible de	sortir les chaises	sans plus attendre	
Ils ont oublié de	faire la vaisselle[2]	après le dîner	
Je suis prêt à	servir le thé	avant midi	
Aidez-moi à	nettoyer[3] la chambre	avant la pluie	
On peut commencer à	tout mettre en ordre		

[1] to pack.
[2] to wash up.
[3] to clean.

| 8. | Dites-lui | de | cesser[2] ce bruit[3] | 91 |

8.
Dites-lui		de	cesser[2] ce bruit[3]
Je lui ai dit			venir aussi vite que possible
Il faut lui dire			faire la chambre avant le déjeuner
Demandons-lui			nous prévenir[4] dès que le dîner sera prêt
Il faut leur demander			mettre un couvert de plus
Je vous prie			nous servir le petit déjeuner dans la salle à manger
Je vous demande			ne pas fumer
Je vous conseille[1]			ne plus le faire

[1] advise.
[2] to stop.
[3] noise.
[4] to inform.

9. Je ne fume   105

| pas |
| plus[1] |
| jamais |
| que deux cigarettes par jour |
| jamais plus d'une cigarette par jour |
| pas du tout[2] |
| pas encore[3] |

[1] no more.   [2] not at all.   [3] not yet.

FORMULES D'EXCUSE(S)

Pardon,	monsieur.
Excusez,	madame.
Je vous demande pardon,	mademoiselle.
Pardon, mille fois,	

Je suis	fâché (e)	de vous avoir	dérangé.[1]
	désolé (e)		fait mal.[2]
	navré (e)		heurté.[3]
Je regrette infiniment			fait attendre.[4]
Je vous demande pardon			
Excusez-moi			

[1] disturbed.
[2] hurt.
[3] run against.
[4] kept waiting.

À QUOI L'ON RÉPOND

Ce n'est rien !
Il n'y a pas de mal [1]

[1] no harm done.

Il n'y a pas de quoi ![2]
Je vous en prie !

[2] don't mention it.

L'Arrivée

A : MONSIEUR HAMMOND   B: MADAME HAMMOND   C : LE GARÇON

[À 3 heures 45 exactement, l'avion atterrit[1] à l'aéroport de Genève, où a lieu[2] l'inspection des bagages à la douane et le contrôle des passeports.   Les Hammond n'ont rien à déclarer et les douaniers ne leur font pas ouvrir leurs valises.   La visite à la douane est donc vite passée.   Un autocar[3] les attend pour les conduire à la gare principale. Comme le restaurant de la gare reste ouvert toute la nuit ils décident d'y prendre leur petit déjeuner.]

C : Faut-il vous servir un petit déjeuner complet ?

A : En quoi consiste le petit déjeuner complet ?

C : Du café, du thé ou du chocolat avec des petits pains, du beurre et de la confiture.

A : C'est justement ce que nous voulons.   Alors apportez-nous deux petits déjeuners complets.   Du café s'il vous plaît.

C : Très bien, monsieur.

[Quelques minutes plus tard le garçon revient tenant[4] d'une main une grande cafetière et de l'autre un gros pot de lait chaud.]

B : Très peu de lait, s'il vous plaît.   Cela suffit, merci.

A : Autant[5] de lait que de café, s'il vous plaît.

B : Le café est aussi bon que celui de l'avion.

A : J'aime surtout cette confiture de cerises, c'est la meilleure que j'aie jamais goûtée.[6]

B : Oui, elle est excellente.   J'en achèterai quelques pots avant notre retour.

A : Après le déjeuner je vais me renseigner pour savoir à quelle heure part notre train.

---

[1] *atterrir*, to land.
[2] *avoir lieu*, to take place.
[3] coach.

[4] *tenir*, to hold.
[5] as much.
[6] *goûter*, to taste.

1.

Je voudrais	du miel[1]		**4, 5, 53**
J'aimerais	de la confiture[2]		
Apportez-nous	des œufs sur le plat[3]		
Puis-je vous servir	un œuf à la coque[4]		
Pourrions-nous avoir	des	croissants	
Est-ce qu'on peut avoir	beaucoup de	petits pains	
Veuillez nous apporter	quelques	tartines[5]	

[1] honey. [4] boiled egg.
[2] jam. [5] slices of bread and butter.
[3] fried eggs.

2.

			24, 26, 96
Il habite	à côté	de chez[4]	moi
Il y a un coiffeur	près		toi
La poste se trouve	loin		nous
Vous le trouverez	en face		lui
Quelqu'un emménage[1]	au-dessus[2]		elle
La route passe	au-dessous[3]		eux
Est-ce que vous venez			elles

[1] someone is moving in.   [2] above.   [3] below.   [4] *chez moi*, at my home.

3.

C'est moi qui ai	acheté	cela	**111, 112**
C'est toi qui as	entendu[1]		
C'est lui qui a	vu[2]		
C'est elle qui a	trouvé		
C'est nous qui avons	apporté		
C'est vous qui avez	perdu[3]		
Ce sont eux qui ont	écrit		
Ce sont elles qui ont	dit		

[1] heard.   [2] seen.   [3] lost.

4.

Voici	ton	chapeau et celui de	mon	frère	**22, 32**
	votre		ton	cousin	
			son	ami	
	ta	serviette et celle de	votre	amie	
	votre				
			ma	sœur	
	tes	gants et ceux de	ta	cousine	
	vos	affaires[1] et celles de	sa	fille	
			votre	petite amie	

[1] things.

41

5. | | | | **31, 33** |
| --- | --- | --- | --- |
| Moi, je préfère | celui | -ci | |
| J'aime mieux | celle | -là | |
| J'aimerais mieux | ceux | | |
| Je choisirais[1] | celles | | |
| Je vais prendre | ceci | | |
| Ne prenez pas | cela | | |
| Veuillez me peser[2] | un kilo de ceci | | |
| Je lui ai demandé | 100 grammes de cela | | |

[1] *choisir*, to choose. 　　　　　　　[2] *peser*, to weigh.

6. 　　　　　　　　　　　　　　　　　　　　　　　**22, 23**

J'ai perdu[1]　　　　　　　mon parapluie,[2]　　le　│ vôtre
Je ne peux pas trouver　　　　alors j'ai pris　　　　│ tien
　　　　　　　　　　　　　　　　　　　　　　　　　│ sien
　　　　　　　　　　　　　　　　　　　　celui de Paul

　　　　　　　　　　　　ma canne,[3]　　　　la │ vôtre
　　　　　　　　　　　　　alors j'ai pris　　　　│ tienne
　　　　　　　　　　　　　　　　　　　　　　　│ sienne
　　　　　　　　　　　　　　　　　celle de Marie

　　　　　　　　　　　　mes gants,　　　　les │ vôtres
　　　　　　　　　　　　　alors j'ai pris　　　　│ tiens
　　　　　　　　　　　　　　　　　　　　　　　│ siens
　　　　　　　　　　　　　　　　　ceux de Louise

　　　　　　　　　　　　mes sandales,　　　les │ vôtres
　　　　　　　　　　　　　alors j'ai pris　　　　│ tiennes
　　　　　　　　　　　　　　　　　　　　　　　│ siennes
　　　　　　　　　　　　　　　　　celles de Jean

[1] *perdre*, to lose.　　　　[2] umbrella.　　　　[3] walking-stick.

7. 　　　　　　　　　　　　　　　　　　　　**19, 23, 31**

On dit que	celui-ci	n'est pas de la même[1] qualité
On sait que	celui-là	est meilleur[2] que celui que
Je crois que	le mien	j'ai acheté
Je voudrais savoir si	le vôtre	sera plus cher que l'autre
Voulez-vous me dire si	le sien	n'est pas en argent[3]
Qui est-ce qui a dit que	le leur	est aussi bon que celui que
		j'ai perdu
		doit être en acier[4]

[1] same
[2] better.
[3] silver.
[4] steel.

8.

					30, 31
Ce journal	-ci	est	à[1]	moi	
Celui	-là	n'est pas	pour	toi	
Cette carte			de	lui	
Celle			chez[2]	elle	
			avec	nous	
Ceci			devant	vous	
Cela			derrière	eux	
			à côte	de	elles
Ces cigares	-ci	sont		(d')	
Ceux	-là	ne sont pas			
Ces cigarettes					
Celles					

[1] belong(s) to. [2] at my (our, his, etc.) home.

---

70 (g), 75

9.

Je te dis	que (qu')	il est aussi	riche	que (qu')	son frère
Il nous dit		il n'est pas si	intelligent		sa sœur
On dit					lui
Tu me dis		il est plus	amusant		elle
Ils vous disent		il est moins	sympa-thique[2]		l'autre
Vous dites					
Je t'ai dit					
Je lui dirai		elle a autant	d'argent		
Je leur dirai		elle n'a pas tant	de bijoux[3]		
Il faut lui dire					
Pourquoi ne lui dites-vous pas		il est le plus	paresseux[4]	de (d')	sa famille
Pourquoi ne leur répondez-vous pas			aimable		entre eux
			pauvre[5]		mes amis
Tout le monde[1] sait		c'est le meilleur		que (qu')	il y ait
		le plus	grand		j'aie jamais[6] vu
			petit		je connaisse
			beau		on puisse[7] trouver

[1] everybody. [5] poor.
[2] likeable. [6] ever.
[3] jewellery. [7] subjunctive of *pouvoir*.
[4] lazy.

10.				
Votre hôtel	est aussi	grand	que	le mien
Son appartement[1]		petit		le sien
Leur jardin	n'est pas si	beau		le nôtre
		bon		le leur
		mauvais		celui de votre amie[2]
	est plus	grand		l'autre
	n'est pas plus	petit		
	est	meilleur		
	n'est pas	pire		

[1] flat. [2] your friend's.

Formules de Conversation

FORMULES EXPRIMANT L'INDIGNATION

Ça alors ! Ça, c'est trop fort ! C'est inouï ![1] Ah non, par exemple !
C'est scandaleux (affreux,[2] horrible, révoltant, épouvantable[3]) !

[1] outrageous. [2] awful. [3] dreadful.

FORMULES D'ENCOURAGEMENT

Allons ![1] En avant ! Allez-y ![2] Vas-y ![2] Ne vous gênez pas ![3]

[1] Come on ! Go to it ! [2] Go ahead ! [3] Don't stand on ceremony; make yourself at home.

FORMULES POUR APPELER OU AVERTIR

Hé ![1] Dites donc ![2] Holà ![3] Attention ![3] Un instant ! Faites attention ![4]

[1] Hullo ! Hi, there ! [2] I say. [3] Look out ! Hullo ! Stop ! [4] Take care. Be careful.

LEÇON VIII

Au Guichet[1]

A : MONSIEUR HAMMOND   B : L'EMPLOYÉ DU GUICHET

A : Où donc est le guichet ? Ah, le voilà, à gauche. Deux secondes pour Annecy, s'il vous plaît.

B : Des billets simples ou des aller-retour ?

A : Est-ce que les billets aller-retour reviennent[2] moins cher que deux billets simples ?

B : C'est le double du prix aller, monsieur.

A : Dans ce cas je prendrai seulement des billets aller. Peut-être choisirons-nous une autre route au retour.

B : Cela fait onze francs, monsieur.

A : À quelle heure part le premier train pour Annecy ?

B : À sept heures dix.

A : Et à quel quai ?

B : Quai numéro 3, monsieur.

A [*à sa femme*] : Nous avons plus de deux heures avant le départ du train.

B : Nous pourrons donc faire un petit tour en ville.

A : Dis-moi : dans quelle valise se trouve l'appareil photographique ?

B : Celle dont tu as la clef sur toi.

[Comme ils ont plus de deux heures avant le départ de leur train, Monsieur et Madame Hammond laissent leurs bagages à la consigne[3] et vont se promener en ville. Dans la grand'rue, en face de la gare, ils admirent les vitrines[4] des magasins élégants qui leur rappellent[5] ceux de Paris. Au bout[6] de la rue se trouve le lac Léman. Du quai on peut jouir[7] d'une vue magnifique sur le lac et les montagnes.]

---

[1] *le guichet*, booking-office window.
[2] *revenir*, to return ; to amount.
[3] cloak-room, left-luggage office.
[4] *la vitrine*, shop window.
[5] remind of.
[6] *le bout*, end.
[7] *jouir de*, to enjoy.

45

1.

		63, 90
Je jouis[1]	du calme[2]	
Il jouit	du beau temps	
Ils jouissent	de la vue	
Nous jouissons	de l'air salubre[3]	
Vous jouissez	de la fraîcheur de l'air	
Je jouissais	du repos des vacances	
J'ai joui	d'une bonne santé[4]	
J'aurais joui	de la douceur[5] du soir	
On peut jouir	de nombreux avantages	

[1] enjoy.
[2] quiet.
[3] healthy.
[4] health.
[5] pleasantness.

2.

		29, 67, 68 (e)
Je me promène	en ville	
Tu te promènes	dans le parc	
Il se promène	au jardin	
Ils se promènent	dans la forêt	
Nous nous promenons	dans les rues	
Je me suis promené	à pied	
Je me promènerai	à cheval	
Je vais me promener	à bicyclette	

3.

		39
Quel journal	voulez-vous ?	
Lequel	préférez-vous ?	
Quelle confiture	préfère-t-il ?	
Laquelle	préfère-t-elle ?	
Quels légumes	préfèrent-ils ?	
Lesquels	puis-je[1] lui apporter ?	
Quelles fleurs	puis-je[1] vous acheter ?	
Lesquelles	voulez-vous que je leur achète ?	

[1] or *est-ce que je peux* ?

4.

		39
Lequel de ces journaux	voulez-vous ?	
Laquelle de ces fleurs	préfère-t-il ?	
Lesquels de ces tableaux	préférez-vous ?	
Lesquelles de ces gravures[1]	puis-je vous donner ?	

[1] *la gravure*, etching ; print.

46

5.

Quel hôtel	préférez-vous,	cet hôtel-ci	ou	cet hôtel-là ?
Lequel	aimez-vous mieux,	celui-ci		celui-là ?

Quelle chambre	préférez-vous,	cette	ou	cette
Laquelle	aimez-vous mieux,	chambre-ci		chambre-là?
		celle-ci		celle-là ?

Quels bonbons	préférez-vous,	ces bonbons-ci	ou	ces bonbons-là ?
Lesquels	aimez-vous mieux,	ceux-ci		ceux-là ?

Quelles fleurs	préférez-vous,	ces fleurs-ci	ou	ces fleurs-là ?
Lesquelles	aimez-vous mieux,	celles-ci		celles-là ?

6. (Qui est-ce) qui[1] | frappe ?   35
désire me parler ?
est à l'appareil ?[3]
a perdu son portefeuille ?[4]
a acheté cela ?

Qui est-ce que[2] | vous demandez ?
nous voyons ici ?
vous avez vu ?
tu as rencontré ?
vous connaissez à Paris ?

[1] who (*qui est-ce qui* is the stressed form, *qui* the unstressed).
[2] whom (or *qui demandez-vous? qui voyons-nous ici ?* etc.)
[3] is that speaking (*l'appareil téléphonique*).
[4] pocket-book.

7. Qu'est-ce qui[1] | est arrivé ?   35
est tombé ?[3]
se passe ?[4]
vous fait rire ?[5]

Qu'est-ce que[2] | vous dites?
vous faites ?
vous prenez?
cela veut dire ?[6]

[1] what (subject).
[2] what (object).
[3] fallen.
[4] is going on.
[5] makes you laugh.
[6] does that mean.

8.

Je sais	qui elle a rencontré	40
Je ne sais pas	qui vous demande au téléphone	
Savez-vous	de qui on a eu des nouvelles[3]	
Devinez[1]	de qui vous avez reçu[4] cette gravure	
J'ignore[2]	à qui il a écrit	
On m'a dit	à qui est[5] cette bague[6]	
Je voudrais savoir	à qui elle a emprunté[7] ce livre	

[1] guess.
[2] I don't know.
[3] news.
[4] received (p.p. of *recevoir*).

[5] *à qui est*, to whom belongs.
[6] ring.
[7] from whom she has borrowed.

9.

Le monsieur	qui vient d'entrer	est le	patron[6]	40, 41
	que nous avons vu		propriétaire	
	dont[1] il a parlé			
	à qui j'ai parlé			

Le lac	qui[2] se trouve devant nous	est le lac Léman
	que[3] nous avons vu	
	dont[1] je vous ai parlé	
	au bord duquel[4] nous étions	
	dans lequel nous avons nagé	
	auquel vous pensez[5]	

[1] of whom (of which).
[2] which (subject).
[3] which (object).

[4] of which.
[5] *penser à*, to think of.
[6] boss.

10.

Le film	dont je vous ai parlé	a eu un succès fou[2]	41
L'opéra	auquel vous pensez	ne se joue plus	
		est une reprise[3]	
La pièce[1]	à laquelle vous pensez	se joue depuis longtemps	
La comédie	dont je vous ai parlé		

[1] play.
[2] tremendous success.
[3] revival.

11.

| Celui | qui a dit cela a | raison[1] | 43 |
| Celle | | tort[2] | |

| Ceux | qui ont dit cela ont |
| Celles | |

[1] *avoir raison*, to be right.
[2] *avoir tort*, to be wrong.

48

12.			
Dites-moi		ce qui[1]	se passe
Savez-vous			se trouve dans ce colis
Je ne comprends pas			est arrivé[3]
Il a demandé			la fait pleurer[4]
Elle a deviné			
On m'a dit		ce que[2]	vous pensez de lui
Personne ne sait		(ce qu')	il veut
On ne sait pas encore			cela veut dire
			elle a répondu

[1] what (subject in dependent clause).   [3] happened.
[2] what (object in dependent clause).   [4] makes her cry.

Questions et Exclamations

Qu'il fait froid !   *How cold it is !*

Que de fleurs !   *What a lot of flowers !*

Qu'elles sont belles !   *How beautiful they are !*

Que (*or* ce que) je suis fatigué(e) !   *How tired I am !*

Quel beau jardin !   *What a beautiful garden !*

Quelle belle fleur !   *What a beautiful flower !*

Quoi ! C'est déjà minuit ?   *What ! It's midnight already ?*

Quoi de nouveau ?   *What's the news ?*

Vous venez, oui ou non ?   *Are you coming or aren't you ?*

Vous ne tarderez pas, n'est-ce pas ?   *You won't be long, will you ?*

C'est mardi aujourd'hui, n'est-ce pas ?   *It's Tuesday to-day, isn't it ?*

On s'est bien amusé, n'est-ce pas ?   *We had a good time, didn't we ?*

Ils ont une villa magnifique. . . . Vraiment ?   *Have they ?*

Il ont fait 100 km. à l'heure. . . . Pas possible !   *Did they really ?*

Dans le Train

A : MONSIEUR HAMMOND   B : MADAME HAMMOND
C, D, E et F : AUTRES VOYAGEURS

[Revenus à la gare, ils reprennent leurs bagages à la consigne et passent sur le quai. Le train est déjà en gare ; ils montent dans un wagon de deuxième classe où ils trouvent un compartiment vide et choisissent deux coins-fenêtre l'un en face de l'autre. D'autres voyageurs les suivent bientôt, parmi[1] eux, deux jeunes gens avec des sacs-à-dos[2] énormes.]

C : Est-ce que ces places sont prises ?

A [*indiquant les deux places qui restent*] : Celle-ci est libre ainsi que celle-là près du couloir.

[Il les aide à hisser[3] leurs sacs dans le filet.]

C : Merci. Vous êtes bien aimable, monsieur.

A : Il n'y a pas de quoi. Ce n'est rien.

C : Une cigarette ?

A : C'est bien aimable à vous, mais je préfère ma pipe.

C : Me permettez-vous de fumer, madame ?

B : Mais certainement, je vous en prie.[4]

C : Mon camarade ne fume jamais. J'aimerais bien cesser[5] de fumer moi aussi mais je ne réussis[6] pas à m'en empêcher.[7] J'ai essayé[8] plusieurs fois mais je ne peux pas y arriver. Est-ce qu'il y a un moyen ?[9]

D : Ma foi,[10] il n'y en a qu'un seul : la volonté.[11]

E [*s'adressant à Monsieur Hammond*] : Auriez-vous l'obligeance de me donner du feu ?

[1] among.
[2] rucksack.
[3] to hoist up.
[4] please do.
[5] to stop.
[6] *réussir à*, to succeed in.

[7] *s'empêcher de*, to refrain from.
[8] *essayer*, to try.
[9] means ; way.
[10] *ma foi*, indeed.
[11] will (power)

[Entre temps le train s'est mis en marche[11] et traverse un paysage[13] très varié, de forêts, de montagnes et de ravins. La fumée commence à incommoder Madame Hammond et elle baisse[14] la glace.[15] Une vieille dame proteste.]

F : Auriez-vous l'obligeance de fermer la fenêtre? Fifi, mon petit chien, est enrhumé.[16] Il ne peut pas supporter les courants d'air.[17]

D : Que dites-vous du meurtre[18] de la rue Boussin? On dit que c'est le mari qui l'a tuée.

C : À mon avis c'est peu probable. À bas, Fifi!

[11] *se mettre en marche*, to start off.
[13] landscape.
[14] *baisser*, to lower.
[15] (railway) window.
[16] *être enrhumé*, to have a cold.
[17] *le courant d'air*, draught.
[18] murder.

CONSTRUCTION DE PHRASES

1.

			69 (b)
J'offre	une cigarette	à ce monsieur	
Tu offres	du chocolat	au contrôleur des billets	
Il offre	des bonbons	à cette dame	
Nous offrons	quelque chose	à chaque voyageur	
Vous offrez	des fleurs	à tous les passants	
Ils offrent	de l'argent	à ces enfants	
J'offrirai	ce que j'ai	à toutes les personnes	
J'offrirais	mes services	à tout le monde[2]	
Il faut offrir	un cadeau[1]	à la maîtresse de maison	

[1] present.
[2] everybody.

2.

			67
Je	me (m')	lève de bonne heure[1]	
		habille en dix minutes	
		brosse[2] les cheveux	
Il	se	rince la bouche	
Elle	(s')	baigne dans le lac	
		rappelle[3] l'avoir vu	
		étonne[4] de l'avoir oublié	
		excuse d'être en retard	

[1] early.
[2] brush.
[3] *se rappeler*, to remember.
[4] *s'étonner*, to be surprised.

3. Auriez-vous l'obligeance de | baisser la glace?[1]
me donner du feu?
ne pas fumer ici?
me prêter[2] votre journal?
m'aider à monter[3] cette valise?

[1] to lower the window. [2] to lend. [3] to lift.

---

4. Je réussis[1] | à | ne plus fumer **63, 68 (b)**
Tu réussis | | traverser[3] la Manche[4] à la nage[5]
Il réussit | | apprendre le chinois
Nous réussissons | | mettre tout cela dans cette valise
Vous réussissez | | trouver une bonne place
Ils réussissent | | atteindre[6] le sommet[7]
Je réussirai | | rejoindre[8] les autres
J'ai réussi | | le lui faire parvenir[9]
| | m'en déshabituer[10]

J'essaie[2] | de | obtenir une meilleure situation
Tu essaies | (d') | m'y habituer[11]
Il essaie | | retenir une chambre
Nous essayons | | arriver à l'heure
Vous essayez | | ne pas être en retard
Ils essaient | | ne pas emporter[12] trop de choses
J'essaierai | |
J'ai essayé | |

[1] succeed (from *réussir*).
[2] try.
[3] to cross.
[4] the English Channel.
[5] swimming.
[6] to reach.
[7] top.
[8] to join.
[9] to send.
[10] to get out of the habit.
[11] to get used to it.
[12] to take along.

---

5. Je me suis | promené[*] | dès[3] le déjeuner **65 (b)**
Tu t'es | baigné[*] | après le repas[4]
Il s'est | reposé[*1] | pendant un quart d'heure
Nous nous sommes | assis[*] | avant l'orage[5]
Vous vous êtes | couché[*2] | tout l'après-midi
Ils se sont | |

[1] rested.
[2] lain down.
[3] since.
[4] meal.
[5] thunderstorm.
[*] add -e for feminine, -s for plural.

6.	Je vais	me	renseigner	**67, 116, 117**
	Je viens de	(m')	raser	
			laver	
	Tu vas	te	baigner	
	Tu viens de	(t')	dépêcher	
			promener	
	Il va	se	mettre à table	
	Ils vont	(s')	y habituer[1]	
	Il vient de		en tenir[2]	
	Ils viennent de		en servir[3]	
			en charger[4]	
	Nous allons	nous	en plaindre[5]	
	Nous venons de		mettre au travail	
			débarrasser de lui[6]	
	Vous allez	vous		
	Vous venez de			
	Il faut	se		
	Il faudra	(s')		

[1] to get used to it.
[2] to stick to it.
[3] to use it.
[4] to see to it.
[5] to complain about it.
[6] to get rid of him.

7.	Est-ce que je me suis	blessé ?[*1]	**65 (b)**
	Est-ce que vous vous êtes	promené ?[*]	
	Est-ce que vous ne vous êtes pas	fatigué ?[*]	
	Est-ce que tu t'es	couché[*] tard ?	
	Est-ce que tu ne t'es pas	bien amusé ?[*]	
	Votre père s'est-il	aperçu[*2] de cela ?	
	Votre père ne s'est-il pas	enrhumé ?[*3]	
	Vos amies se sont-elles	brûlé ?[*4]	

[1] hurt myself (yourself, etc.).
[2] notice (from *apercevoir*).
[3] caught a cold.
[4] burnt myself (yourself, etc.).
[*] add -*e* for feminine, -s for plural.

8.	Me	voici	encore une fois[1]	**24, 33**
	Te	voilà		
	Le			
	La			
	Les			
	Nous			
	Vous			

[1] here (there) I am (you are, etc.) once again.

9.	Est-ce qu'il y a quelque chose	de nouveau[1]	**42**
	Il n'y a rien	de neuf[2]	
	Dites-nous ce qu'il y a	d'intéressant	

[1] new, recent, fresh; news.　　　　　　　　　[2] newly made; new thought, subject.

10.	Je crois	que	oui	**103, 104**
	Je pense		non	
	Je t'assure			
	Je suppose			
	Je crains[1]			

[1] from *craindre*, to fear.

LA SANTÉ[1]

Comment	allez-vous ?	Très bien, merci, et vous-même ?
	cela va-t-il ?	Assez bien, je vous remercie.
	ça va ?	Comme ci comme ça.[5]
	va la santé ?[1]	Tout doucement.[5]
	vont les affaires ?[2]	Pas trop bien.
	va monsieur votre père ?	Il | souffre[6] | du cœur.
	va madame votre mère ?	Elle | | de l'estomac[7]
	vont les enfants ?	Tout le monde est en bonne santé.

| Vous avez | bonne[3] | mine. | Je suis | souffrant(e).[8] |
| Il (elle) a | mauvaise[4] | | Il (elle) est | |

| Qu'avez-vous ? | | J'ai | un lumbago. |
| Qu'a-t-il (elle) ? | | Il (elle) a | mal à la tête.[9] |

Je vous souhaite un prompt rétablissement.[10]　　Je vous remercie.

[1] health.
[2] business.
[3] look well.
[4] don't look well.
[5] so-so.

[6] from *souffrir*, **69** (b).
[7] stomach.
[8] not well.
[9] headache.
[10] recovery.

Au Restaurant

A : MONSIEUR HAMMOND   B : MADAME HAMMOND
C : UN PASSANT   D : LE GARÇON

[Arrivés à Annecy, Monsieur et Madame Hammond se renseignent sur les heures de départ des autocars pour Duingt. Aucun[1] ne part avant 2 heures de l'après-midi, donc[2] trop tard pour prendre leur déjeuner à l'hôtel. Ils décident donc de laisser leurs bagages à la consigne et de faire un tour en ville. Ils suivent les rues étroites et pittoresques de la vieille ville, admirent les devantures[3] des magasins dans la rue principale et flânent[4] au bord du lac. À midi ils demandent à un passant[5] de bien vouloir[6] leur recommander un restaurant.]

A : Pardon, monsieur, pourriez-vous nous indiquer un restaurant où l'on mange bien et pas trop cher ?

C : Le Bon Savoyard. C'est un petit restaurant. La cuisine y est bonne et les prix raisonnables. Je ne me souviens[7] pas du nom de la rue. Prenez la deuxième rue à gauche et vous y êtes. Vous ne pouvez pas le manquer.[8]

A : Merci bien, monsieur, vous êtes bien aimable.

[Installés dans le restaurant, le garçon leur présente la carte du jour. Il y a deux menus à prix fixe et un grand choix à la carte.]

D : Celui à 19 francs 50 comprend[9] un hors-d'œuvre, rosbif[10] ou rôti[11] de veau,[12] salade et fruit. Pour l'autre à 26 francs, il y a du poulet au lieu[13] de rôti et plusieurs hors-d'œuvre à votre choix.[14]

B : Moi je n'ai pas grand'faim. Est-ce qu'on peut avoir une omelette aux fines herbes ?

[1] none.
[2] therefore, so.
[3] *la devanture de magasin*, shop-front.
[4] *flâner*, to stroll.
[5] passer-by.
[6] to be so good as to.
[7] *se souvenir de*, to remember.
[8] miss.
[9] *comprendre*, to comprise.
[10] *le rosbif*, roast beef.
[11] *le rôti*, joint.
[12] *le veau*, veal.
[13] *au lieu de*, instead.
[14] choice.

D : Certainement, madame, c'est une des spécialités de la maison.

B : Je prendrai donc une omelette suivie[15] d'une salade de laitue.[16] Ensuite vous pourrez nous servir quelques-uns[17] de ces fruits que nous avons admirés en entrant. Ils ont l'air[18] délicieux.

A : Moi je prendrai le menu à 19 francs 50.

D : Et comme boisson,[19] monsieur ?

A : Apportez-nous donc un carafon[20] de vin blanc.

[15] *suivi de*, followed by (from *suivre*).   [18] *avoir l'air*, to look, seem.
[16] *la laitue*, lettuce.   [19] *la boisson*, drink.
[17] some.   [20] small *carafe*.

CONSTRUCTION DE PHRASES

1.

D'abord	je sers	le potage	**68 (c), 69 (a)**
Puis	on sert	les hors-d'œuvre	
Ensuite	ils servent	le poisson	
Après	vous servez	le rôti[1]	
À la fin	vous servirez	la volaille[2]	
Et enfin	on a servi	le gibier[3]	
Pour finir	vous pouvez servir	les légumes	
	je mange	la salade	
	nous mangeons	le dessert	
	je mangeais	les fruits	
	je mangerai	le fromage	
	nous voulons manger	la compote[4]	

[1] joint.   [3] game.
[2] poultry.   [4] stewed fruit.

2.

C'est une	grande	maison	très intéressante	**13, 34**
	petite	ville	assez pittoresque	
	belle	robe	plutôt[2] élégante	
	vieille	auberge[1]	bien française	

[1] inn.   [2] rather.

3.

Où s'arrête	l'autobus	qui va à Morzine?	**40**
D'où part	l'autocar[2]	qui part de cette localité?	
Est-ce que nous avons manqué[1]	le train	qui vient de Lausanne?	
À quelle heure part	le bateau	qui passe par ici?[3]	

[1] missed.   [2] coach.   [3] *par ici*, this way.

4.	Je bois	un verre	de	vin blanc
	Il boit	un carafon[1]		vin rouge
	Nous buvons	une bouteille		Graves
	Vous buvez	une demi-bouteille		lait
	Ils boivent	plus		vin rosé
	Je boirai	moins		cognac
	J'ai bu	un bol[2] de café au lait		
	J'aurais bu	un café-crème		
	Tu devrais boire	un jus[3] de fruit		

[1] small decanter.   [2] bowl.   [3] juice.

5.	Je ne me rappelle[1]	pas	le nom de cet hôtel
	Tu ne te rappelles	plus[2]	à quoi cela sert[3]
	Il ne se rappelle	jamais	ce que cela veut dire[4]
	Nous ne nous rappelons		comment cela se fait[5]
	Vous ne vous rappelez		à qui cela appartient
	Ils ne se rappellent		comment on le prononce
	Je ne me rappellerai		comment on dit cela en anglais
	Je ne me suis pas rappelé		comment il faut le traduire[6]
	Est-ce que tu ne peux pas te rappeler		Monsieur et Madame Boniface

[1] *se rappeler* or *se souvenir de*, to remember.
[2] *ne . . . plus*, no more.
[3] what it is for.

[4] what it means.
[5] how it is done.
[6] translate.

6.	J'aimerais			prendre le thé maintenant **79, 80, 81**
	J'aime mieux			faire une promenade dans la forêt
	Nous pourrons			aller au cinéma ensuite
	On pourrait			dîner en ville
	Je vous propose	de		apprendre l'espagnol
	J'ai envie	(d')		prendre les repas à la terrasse
	Vous êtes obligé			faire la chambre avant le petit déjeuner
	On m'a dit			lui en parler
				leur écrire
	Nous pensons	à		nous y rendre[1] tout de suite
	Je suis prêt			

[1] *se rendre*, to betake oneself, i.e. to go.

7.

Il	me te vous nous lui leur	demande	si je peux si tu peux si vous pouvez si nous pouvons s'il peut si elle peut s'ils peuvent	lui leur	recom- mander	quelque chose[1] quelqu'un[2] un restaurant un hôtel une auberge un tailleur un coiffeur

[1] something. [2] somebody.

8.

Ce potage Ce fromage Ce gâteau Cette viande Ce légume Ce ragoût	a un goût[1]	de citrouille[3] d'oignon d'ail[4] de liqueur de citron	2, 3
Cette compote Ce poisson Ceci Cela	a l'air[2]	bon(ne) délicieux(se) appétissant(e) drôle[5] atroce étrange[6]	

[1] tastes. [4] garlic.
[2] looks. [5] funny.
[3] pumpkin. [6] strange.

9.

Appelez Prévenez[1] Réveillez[2] Aidez Croyez	-moi! -nous! -le! -la! -les!	Ne	le la les me nous	réveillez remerciez[3] croyez priez prévenez	pas! 27, 105 jamais! plus! pas encore! sous aucun prétexte!

[1] let know (from *prévenir*). [2] wake. [3] thank.

10.

Comment trouvez-vous	le potage? la viande? le poisson? la compote? les fraises?	Je	le la les	trouve	délicieux[1] 118 excellent* bien cuit*[2] comme ci, comme ça trop assaisonné*[3] insipide[4]

[1] fem. *délicieuse*. [4] tasteless.
[2] well cooked. * add -e for fem., -s for plural.
[3] seasoned.

À TABLE

Puis-je vous offrir	du rôti ?	Très volontiers, madame.
Voulez-vous	de la salade ?	Je veux bien, merci,
Voulez-vous prendre	des pommes de	madame.
Désirez-vous	terre ?	S'il vous plaît, madame.
	des fruits?	Avec plaisir.

Encore un peu de cette compote ?   Non, je vous remercie, madame.
Servez-vous, je vous prie.   J'en ai assez, merci bien, madame.
Ne vous faites pas prier.   Merci, vraiment, je n'en veux plus.

Puis-je vous demander	le sel?	Voilà, monsieur.
de me passer		(*dit par celui qui passe*)
Voudriez-vous me passer	la carafe ?	Merci, monsieur.
		(*dit par celui qui reçoit*)

LEÇON XI

À L'Hôtel

A : MONSIEUR HAMMOND   B : MADAME HAMMOND
C : LA PROPRIÉTAIRE DE L'HÔTEL

A : Nous avons réservé une chambre.

C : À quel nom, s'il vous plaît ?

A : Hammond.

C : Nous pouvons vous donner à choisir entre deux chambres : le numéro 39, une belle chambre au deuxième étage, ou une chambre plus petite au premier donnant[1] sur le jardin.

B : Laquelle a la plus belle vue ?

C : Au deuxième vous aurez une vue magnifique sur le lac et de l'autre chambre une vue aussi belle sur les montagnes. Je vais vous les faire voir toutes les deux ; si vous voulez bien me suivre.[2]

[Ils se décident pour la chambre donnant sur le jardin, craignant[3] d'être dérangés[4] par le bruit[5] de la rue dans l'autre.]

C : Je vous fais monter les bagages.

B : À quelle heure est le dîner ?

C : À sept heures.

B : Et les autres repas ?

C : Le petit déjeuner quand vous voudrez et le déjeuner à midi et demie.

A : Est-ce que vous servez le petit déjeuner dans les chambres ?

C : Comme vous voudrez : dans la chambre ou à la salle à manger

B : Cela nous est égal[6] ; n'est-ce pas, chéri ?[7]

A : Comment font les autres pensionnaires ?

[1] looking out.
[2] follow.
[3] from *craindre*, to fear.
[4] disturbed.
[5] noise.
[6] all the same.
[7] darling.

C : La plupart[8] de nos clients font monter le petit déjeuner dans leur chambre.

B : Eh bien, nous ferons comme eux.

C : Ne vous gênez pas pour demander ce que vous préférez. Cela ne nous fait rien[9] de vous servir dans votre chambre. Nous aimons bien que nos clients se sentent[10] à leur aise.[11] Vous trouverez une sonnette[12] dans votre chambre pour appeler le personnel.

[8] majority.
[9] we do not mind.
[10] *se sentir*, to feel.

[11] comfortable.
[12] bell.

CONSTRUCTION DE PHRASES

1.

J'appelle	le garçon d'étage	68 (d)
Nous appelons	la femme de chambre	
J'appellerai	le liftier[1]	
J'ai appelé	le chasseur[2]	
Il faut sonner pour appeler	le gérant[3]	
Sonnez deux fois pour appeler	le chef de réception[4]	

[1] liftboy.
[2] porter.

[3] manager.
[4] chief receptionist.

2.

Cela	m'[1]	est	égal[1]	24
	lui		agréable	
	leur		nécessaire	
	nous		favorable	
	vous		indispensable	
			pénible[2]	
			odieux	
			sympathique	
			utile[3]	
			inutile[4]	

[1] the same to me (you, etc.).
[2] painful.

[3] useful.
[4] useless.

3.

Je me fais	faire[1] un costume	67
Il se fait	bâtir[2] une villa	
Nous nous faisons	réveiller à sept heures	

[1] *se faire faire*, to have made.
[2] to build.

61

4.

Veuillez	me réveiller[8] à 7 heures	**26, 91**
Voulez-vous	recoudre[3] ce bouton	
Pouvez-vous	repasser[4] ceci	
Voudriez-vous	nettoyer[5] cela	
Pourriez-vous	enlever[6] cette tache[7]	
Laissez-moi	cirer[8] mes chaussures	
Laissez-le	envoyer mon linge[9] à la blanchisserie	
Laissez-la	nous appeler un taxi	
Demandez-lui de	faire la chambre	
Dites-lui de	la vaisselle[10]	
Je vous prie de	monter les bagages	
bien vouloir	descendre les valises	
Auriez-vous	vider la poubelle	
l'obligeance de	entrer[11] Monsieur Paul	
Je vous serais très	venir[12] le médecin	
reconnaissant[1]		
si vous pouviez		

[1] grateful.
[2] wake.
[3] sew.
[4] iron.
[5] clean.
[6] remove.

[7] spot.
[8] polish.
[9] washing.
[10] washing up.
[11] *faire entrer*, to show in.
[12] *faire venir*, to send for.

5.

J'en ai	besoin	tout de suite	**116 (d)**
Nous en avons		pour ce soir	
Ils en ont		demain matin	
J'en aurai		dans trois jours	

6.

Ça ne	me	fait rien[1]	de	le	lui	donner	**24, 27**
	(m')	faisait rien		la	leur	montrer	
	te	fera rien		les		rendre	
	(t')	ferait rien				dire	
	lui	a rien fait		me	le	prêter	
	nous	aura rien fait		te	la	vendre	
	vous	aurait rien fait		vous	les	payer	
	leur					faire faire	
				lui	en	commander[2]	
				leur		passer[3]	

[1] *Ça ne me fait rien de*, I don't mind ——ing.
[2] to order.
[3] to pass on.

7. Réveillez- | vous !
   Levez-
   Dépêchez-[1]
   Couchez-
   Taisez-[2]

[1] *se dépêcher*, to hurry.　　　　　[2] *se taire*, to be silent.

　　Amusez-vous[1] | bien !
　　Reposez-vous[2]
　　Soignez-vous[3]

[1] *s'amuser*, to enjoy oneself.　　　[3] *se soigner*, to take care of oneself.
[2] *se reposer*, to have a rest.

8. Ne vous | inquiétez[1] | pas !
   　　　　　 impatientez[2]
   　　　　　 gênez[3]
   　　　　　 pressez[4]
   　　　　　 endormez[5]
   　　　　　 en allez[6]
   　　　　　 y opposez
   　　　　　 en moquez[7]

[1] worry.　　　　　　　　　　[5] fall asleep.
[2] be impatient.　　　　　　　[6] *s'en aller*, to go away.
[3] stand on ceremony.　　　　　[7] laugh at.
[4] hurry.

9. Donnez- | le- | moi | maintenant !　　　　　18, 27
   Prêtez- | la- | nous | tout de suite !
   Demandez- | les- | lui | plus tard !
   Envoyez- | | leur | la semaine prochaine !
   Rendez- | | | ce soir !

   | m' | en
   | nous-

| Ne | me | le | donnez | pas | demain matin !
| | (m') | la | montrez | | avant mardi !
| | nous | les | faîtes | | après-demain !
| | | en | apportez | | le 15 avril !
| | | | envoyez | | d'aujourd'hui en huit !
| | le | lui | rendez | | d'ici en trois jours !
| | la | leur
| | les

10. Je ne vois │ rien
    Il n'y a   │ rien d'autre[1]
                │ personne d'autre[2]

[1] nothing else.   [2] no one else.

EN VISITE

POUR DEMANDER SI MONSIEUR OU MADAME PEUT VOUS RECEVOIR

Monsieur X est-il chez lui, s'il vous plaît ?

Madame X est-elle chez elle, s'il vous plaît ?

POUR DEMANDER À UN VISITEUR D'ENTRER ET DE S'ASSEOIR

Donnez-vous la peine │ d'entrer.
                     │ de vous asseoir.

ou Veuillez │ entrer,   │ je vous prie.
              │ vous asseoir,   │

POUR DEMANDER LE NOM DU VISITEUR

A qui ai-je le plaisir de parler ?

Ai-je │ le plaisir │ de parler à │ Monsieur X ?
      │ l'honneur   │   │ Madame X ?

POUR DEMANDER DE QUOI IL S'AGIT[1]

En quoi puis-je vous │ être utile ?
                     │ servir ?

ou Qu'est-ce qui me procure │ le plaisir │ de vous voir ?
                              │ l'avantage │

[1] what it is about, what I can do for you.

LEÇON XII

Au Syndicat d'Initiative

A : MONSIEUR HAMMOND   B : MADAME HAMMOND
C : L'EMPLOYÉE DU BUREAU

[Après s'être installés[1] dans leur chambre et s'être un peu rafraîchis,[2] Monsieur et Madame Hammond vont faire un petit tour au village.]

A : Voilà le Syndicat d'Initiative. Entrons-y donc pour nous renseigner sur les promenades et les excursions.

B : Il y a un magasin de chaussures à côté. Allons-y d'abord.[3]

A : Nous pourrions y aller ensuite.[4] Le bureau va fermer à cinq heures, tandis[5] que les magasins resteront ouverts jusqu'à sept heures et même plus tard. [*Ils entrent.*]

A : Bonjour, madame ; est-ce qu'on peut avoir une carte[6] du pays indiquant les promenades ?

C : Mais certainement, monsieur. Il y en a deux. Cette carte-ci vous donne les environs les plus proches[7] et celle-là couvre le département tout entier. Les promenades sont clairement indiquées sur l'une comme sur l'autre.

A : Je crois que celle-ci suffira. Nous nous contenterons d'abord des environs les plus proches.

C : Et voici une liste des promenades avec leur description détaillée. Je vous donne aussi l'horaire[8] des autocars qui passent par notre village.

A : Merci beaucoup. Nous aimerions aussi faire une excursion à Chamonix et au Mont-Blanc. Pour cela je suppose qu'il faudra aller en ville.

C : Non, ce n'est pas nécessaire. Il y a des excursions qui partent d'ici même ; les unes pour la demi-journée, les autres pour la

---

[1] *s'installer*, to settle down.
[2] *se rafraîchir*, to refresh oneself.
[3] first.
[4] afterwards.
[5] *tandis que*, whereas.
[6] map.
[7] near.
[8] *l'horaire* (m.), time-table.

65

journée entière. Voici l'horaire des excursions prévues[9] pour cette semaine. Il y aura un tour demain. Vous pouvez vous inscrire[10] ici.

B : Nous attendrons la semaine prochaine. Avant cela nous voulons faire des promenades à pied.

A : Nous vous sommes très reconnaissants de tous vos aimables renseignements. Combien vous devons-nous ?

C : La feuille[11] et la liste sont gratuites. La carte coûte 1 fr. 25.

A : Pouvez-vous me changer un billet de cent francs ?

C : Certainement, monsieur ; voici votre monnaie.

B [*à son mari*] : Et maintenant, allons voir pour les chaussures !

[9] *prévoir*, to foresee, to provide for.   [11] leaf, leaflet.
[10] *s'inscrire*, to put down one's name.

CONSTRUCTION DE PHRASES

1.					31, 70 (f)
Je crois	que	celui-ci	suffit		
Tu crois		celle-ci	suffira		
Il croit		ceci	suffirait		
Nous croyons		cela	a suffi		
Vous croyez					
Ils croient		ceux-ci	suffisent		
J'ai cru		celles-ci	suffiront		
Je lui écrirai		les miens	ont suffi		
On peut leur écrire		les vôtres	peuvent suffir		
		d'autres	suffiraient		

69 (b)

2.	
J'ouvre	la boîte de sardines avec un ouvre-boîtes[1]
Tu ouvres	toutes les fenêtres de l'appartement
Il ouvre	tous les paquets
Nous ouvrons	toutes les chambres avec un passe-partout[2]
Vous ouvrez	les lettres avec un ouvre-lettres[3]
Ils ouvrent	la bouteille avec un tire-bouchon[4]
J'ouvrirai	la bouche en grand chez le dentiste
J'ouvrirais	un compte[5] à la banque locale
J'ai ouvert	le magasin à l'heure indiquée
Il faut ouvrir	cette boîte avec précaution[6]

[1] tin-opener.   [4] corkscrew.
[2] master key.   [5] account.
[3] letter-opener.   [6] care.

66

3.

Je suppose qu'	il	faut	se lever de bonne heure[3]	pour cela
Je me demande[1] s'		fallait	s'inscrire d'avance	
Je te dis qu'		a fallu	se rendre en ville	
Il me semble[2] qu'		faudra	s'y intéresser[4]	
Elle veut savoir s'		faudrait	s'y habituer[5]	

[1] L wonder.
[2] it seems to me.
[3] *de bonne heure*, early.

[4] to take an interest in it.
[5] to get used to it.

4.

Je vais y entrer pour	me	renseigner	82
Entrons-y pour nous		chauffer[1]	
Entrez-y pour vous		abriter de la pluie[2]	
Ils y entrent pour se		reposer[3] un moment	

[1] to warm myself, etc.
[2] to take shelter from the rain.

[3] to rest.

101

5.

Je vous serais très reconnaissant[1] si vous pouviez	me	donner quelques
	(m')	renseignements
Veuillez	nous	changer un billet de
Pourriez-vous	lui	dix francs
Ayez[2] l'amabilité[3] de	leur	en apporter
		prêter[4] votre
		parapluie
		en donner

[1] grateful.
[2] have (imperative).

[3] kindness.
[4] to lend.

6.

Je vous promets	de	le	chercher	70 (**k**), 88, 91
Il te promet		la	nettoyer[1]	
Nous vous promettons		les	renvoyer[2]	
Vous nous promettez				
Ils lui promettent		le	lui dire	
Ils leur ont promis			leur écrire	
Elle te promettra				
Je vous promettrais		ne pas	le	perdre
Il faut lui promettre			la	prendre
Tu dois leur promettre			les	toucher

le	lui	dire
	leur	écrire

[1] to clean.

[2] to send back.

7.

J'espère			l'arranger	**79, 80**
Il faut			garder ceci	
Il doit			en acheter	
Elle ne saura pas			le faire tout de suite	
Vous pouvez			réparer la prise de courant[1]	
Est-ce qu'on peut			obtenir sa permission	
Ils auraient pu			faire des réclamations[2]	
Il est	facile	de	le lui expliquer	
Il a été	difficile		le leur faire comprendre	
Il sera	possible		les y intéresser	
Il était	impossible		lire tout cela en trois jours	
Il serait	nécessaire		finir ce travail avant cinq heures	

[1] *la prise de courant*, wall plug. [2] complaints.

8.

Il est	possible	de	le	faire	**34, 114 (j)**
Il était	impossible		(l')	savoir	
Il sera	intéressant			entendre	
Il serait	dangereux			exécuter	
Il n'est pas	facile			réparer	
Il n'était pas	difficile			nettoyer	
Il ne sera pas	désagréable			apprendre	
Il ne serait pas	amusant			traduire[1]	

[1] to translate.

9.

J'ai besoin	de	mon rasoir[2]	**90**
Il se sert[1]		mes lunettes[3]	
Je suis content		ma valise	
Je suis mécontent		ces ciseaux[4]	
Je suis enchanté		ce que nous avons acheté	

[1] *se servir de*, to use. [3] glasses.
[2] razor. [4] scissors.

10.

J'ai	pensé	à	lui	hier soir	**89**
	eu affaire[1]		elle	ce matin	
			eux	il y a quelques jours[2]	
			elles	l'autre jour[3]	

[1] had some business with. [3] the other day.
[2] some days ago.

11.

J'ai	du travail à faire	**115 (j)**
Il a	des lettres à écrire	
Nous aurons	une question à vous poser	
Elle doit avoir	quelque chose à vous raconter	

12. Auriez-vous quelque chose | à | lire   **81, 115 (j)**
    Je n'ai rien | | mettre[1]
    Il a beaucoup | | faire
    C'est la meilleure chose | | boire

[1] to put on.

13. Si vous avez froid, | vous mettre près du feu   **101, 108**
    vous n'avez qu'à | fermer la fenêtre
                    | mettre des vêtements plus chauds

DEMANDES DE RENSEIGNEMENT

Veuillez | me dire | si c'est . . .
Pourriez-vous | | s'il faut . . .
Voudriez-vous bien | | où se trouve . . .
Seriez-vous assez aimable de | | où il faut . . .
Auriez-vous l'obligeance de | | ce que signifie le mot . . .
Auriez-vous la bonté de | | comment on dit cela en
                           | | français.

Que veut dire[1]. . .
Qu'entendez-vous par[2]. . .
Je ne sais pas au juste ce que signifie le mot . . .

[1] what does . . . mean.   [2] what do you understand by . .

LEÇON XIII

Première Sortie

A : MONSIEUR HAMMOND   B : MADAME HAMMOND
C : UN PASSANT

[Le lendemain,[1] après le petit déjeuner, ils se mettent en route. La veille[2] ils ont étudié les cartes et les brochures que leur a données le Syndicat d'Initiative. Ils se decidèrent pour une promenade dont la durée était indiquée de deux heures.]

B : Je me demande si cela veut dire deux heures pour aller et deux heures pour revenir ou deux heures en tout, aller et retour.

A : En général les indications s'appliquent à une seule direction. D'ailleurs,[3] même si cela dure quatre heures en tout, nous ne serons pas en retard pour le déjeuner.

B : Si nous ne nous trompons[4] pas de chemin.

A : Impossible, voyons, tout le parcours[5] est clairement tracé. Il doit y avoir un sentier[6] qui tourne à gauche.

B : En voilà un. Demandons donc à ce monsieur si c'est bien celui-là.

A [*à un passant*] : Pardon, monsieur, est-ce bien le chemin pour aller à Viot ?

C : Vous pouvez prendre ce chemin-là. Suivez-le jusqu'à l'entrée de la forêt ; puis tournez à gauche, continuez toujours sur le même chemin jusqu'à la route nationale[7] ; suivez-la pendant à peu près dix minutes et prenez le deuxième tournant à droite. C'est un sentier qui monte toujours et vous mène au sommet.[8] Il est assez raide.[9]

B : Combien de temps faut-il pour y arriver ?

C : Une heure et demie, si vous marchez d'un bon pas.[10]

[1] next day.
[2] the preceding day.
[3] besides.
[4] *se tromper de chemin,* to take the wrong way.
[5] route, course.
[6] path.
[7] highway.
[8] top.
[9] steep.
[10] pace.

A : Merci, monsieur, vous êtes bien aimable.

C : Bonne promenade.

[Arrivés à la lisière[11] de la forêt, ils trouvent quelques bancs.[12]]

A : Reposons-nous un peu ici.

B : C'est trop tôt, voyons, pour se reposer. Si nous nous asseyons maintenant tu ne pourras plus te lever. En avant ![13] Marche !

[Arrivés à la route nationale, ils voient un poteau indicateur[14] qui indique la route de Viot. Pourtant ils ne savent pas trop de quel côté se trouve le sentier qui mène[15] au sommet. Monsieur Hammond commence à déplier[16] la carte pour s'orienter.[17]]

B : Pas besoin de consulter ta carte. C'est de ce côté. J'aperçois[18] la tour qui se trouve au sommet.

[11] skirt (of forest).
[12] *le banc*, seat.
[13] forward.
[14] *le poteau indicateur*, signpost.
[15] *mener*, to lead.
[16] to unfold.
[17] to find his bearings.
[18] *apercevoir*, to perceive, to catch sight of.

CONSTRUCTION DE PHRASES

1.

Pouvez-vous	me	dire où se trouve	la poste	**62**
Pourrez-vous	nous		le Syndicat d'Initiative	
Pourriez-vous	lui		la mairie	
Ayez l'obligeance	leur		la rue Bonnard	
de	m'	indiquer	le chemin pour aller à . . .	
			un bureau de tabac près d'ici	

2.

C'est	tout droit[2]	**114 (b), 115 (b)**
Cela doit être	par ici	
On m'a dit que c'est	par là	
Vous croyez que c'est	en face[3]	
Il faut demander si c'est	à côté	
D'après[1] ce que j'ai entendu	de l'autre côté	
dire, cela devrait être	au coin de la rue	
D'après les indications de ce	la première rue à droite	
guide, c'est	la deuxième à gauche	

[1] according to.   [2] straight ahead.   [3] opposite.

3.
Est-ce que	vous	êtes	libre	**101**
Il me semble que		avez été	occupé(e)	
Il faut lui dire si		serez	fâché(e)	
Il veut savoir si				
Il ne faut pas leur dire que	votre ami(e)	est	prêt(e)	
		sera	fatigué(e)	
		a été	malade	

4.
Je vois	un bon endroit pour le pique-nique **71 (d, f)**
Tu vois	la tour d'où l'on a une belle vue
Il voit	le poteau indicateur qui indique la
Nous voyons	route de Reims
Vous voyez	les bateaux sur le lac
Ils voient	les acteurs répéter sur la scène
Je voyais	le célèbre peintre peindre un paysage
J'ai vu	les patineurs[1] patiner sur le lac
Je verrai	les tricoteuses[2] tricoter des chandails[3]
Je verrais	les cuisinières faire le dîner
On peut } voir	les agents de police régler la circulation[4]
apercevoir	les blanchisseuses[5] laver le linge dans la
Il aperçoit	rivière[6]
Nous apercevons	les cyclistes rouler à bicyclette
Vous apercevrez	l'autobus qui vient d'arriver
J'ai aperçu	l'autocar[7] en train de partir[8]
	le train sur le point[9] de partir

[1] skaters.
[2] knitters.
[3] sweaters.
[4] traffic.
[5] washer-women.

[6] river.
[7] coach.
[8] *en train de partir*, just starting.
[9] *sur le point de*, about to.

5.
Je me lève	de bonne heure	**68 (e)**
Tu te lèves	assez tard	
Il se lève	avant six heures	
Nous nous levons	aussitôt que possible	
Vous vous levez	à l'aube[1]	
Ils se lèvent	avant le lever du soleil[2]	
Je me levais	avec les poules	
Je me lèverai	trop tard	
Je me suis levé	trop tôt	
Je me serais levé	à l'heure	
Il (ne) faut (pas) se lever	au milieu de la nuit	

[1] dawn.

[2] *le lever du soleil*, sunrise.

6.	Impossible de	se tromper	**79, 80**
	On ne peut pas	se lever	
	Il ne faut pas	s'asseoir	

7.	Je m'assois*	sur ce banc	**71 (k)**
	Tu t'assois	sur l'herbe[1]	
	Il s'assoit	à la terrasse d'un café	
	Nous nous asseyons	dans un fauteuil bien confortable	
	Vous vous asseyez	au coin du feu[2]	
	Je m'assoirai*	n'importe où[3]	
	Je m'assoirais	où on voudra	
	Je me suis assis	à n'importe quelle place[4]	
	Je me serais assis	auprès de[5] lui	
	On peut s'asseoir	auprès d'eux	

[1] grass.
[2] by the fireside.
[3] anywhere.
[4] on any seat.
[5] *auprès de*, by the side of.

* alternative forms : *je m'assieds; je m'assiérai* (or *asseyerai*).

8.	Je me demande[1]	si c'est vrai	**42, 67**
	Tu te demandes	s'il faut le faire	
	Il se demande	si elle a eu un accident	
	Nous nous demandons	pourquoi ils ont perdu leur chemin	
	Vous vous demandez	pourquoi il n'est pas encore rentré	
	Ils se demandent	ce qu'il faut lui donner comme	
	Je me suis demandé	pourboire[2]	
		ce qu'il faut leur dire comme excuse	

[1] I wonder.
[2] tip

101

9.	S'il fait beau	demain	nous irons à la campagne
	Si je suis libre	ce soir	nous nous promènerons dans
	S'il ne pleut pas	cet après-midi	le parc
	Si je ne suis pas	dimanche	nous finirons notre partie
	fatigué	aujourd'hui	d'échecs[3]
	S'il est possible	entre-temps[2]	je ne resterai pas chez moi
	Si je ne suis pas		je le lui apporterai
	empêché[1]		je le ferai

[1] prevented.
[2] meanwhile.
[3] game of chess.

73

10. Si je ne l'avais pas | fait, | vous | ne l'auriez pas | dit
| pris, | | | écrit
| vu, | | | oublié
| perdu, | | | trouvé
| raconté, | | n'en auriez pas parlé
| compris, | | ne vous en seriez pas souvenu
| acheté, | | ne seriez pas venu

---

11. Mettez | cela | dedans[3]   **31**
Elle a laissé | ces choses | dessus[4]
Ils ont posé | celui-là | dessous[5]
On ne peut pas laisser | celle-là | dehors[6]
Il faut pousser[1] | ceux-là | devant
Enfoncez[2] | celles-là | derrière
| | à côté

[1] to push.
[2] *enfoncer*, to drive in, to break open.
[3] in it.
[4] on it.
[5] under it.
[6] outside.

---

12. Je m'en vais[1] | s'il s'endort   **67, 68 (a)**
Tu t'en vas | s'il est temps de partir
Il s'en va | à cette heure-là
Nous nous en allons | sans laisser de pourboire
Vous vous en allez | sans leur dire au revoir
Ils s'en vont | pour attraper[2] l'autobus
Je m'en irai | pour ne pas manquer le train
Il vaut mieux s'en aller | sur la pointe des pieds[3]

Je m'en irais | s'il s'endormait
| s'il était temps de partir
| sans regarder l'heure

[1] *s'en aller*, to go away.
[2] to catch.
[3] on tip-toe.

---

13. Il faut | | tourner à gauche   **80**
Vous devez | | traverser la grande place
Il vaut mieux | | prendre l'autobus
Je vous conseille[1] | de | aller tout droit[2]
On m'a dit | (d') | monter par le téléphérique

[1] advise.
[2] straight ahead.

POUR DEMANDER SON CHEMIN

Pardon, monsieur, | la rue Drouot, | s'il vous plaît?
la gare du Nord,
le bureau de poste
le plus proche, |

Est-ce bien le chemin pour aller à . . .?

Combien y a-t-il d'ici à . . .?

L'autobus pour aller à . . ., | passe-t-il près d'ici?
où puis-je le prendre?

Où faut-il descendre pour aller à . . .?

En Auto

A : MONSIEUR HAMMOND   B : MADAME HAMMOND
C : MONSIEUR DUBOIS (UN PENSIONNAIRE DE L'HÔTEL)

[À l'hôtel les Hammond ont fait la connaissance d'un charmant couple français, Monsieur et Madame Dubois venant de Lyon. Ils avaient convenu[1] d'aller ensemble en ville après le petit déjeuner, mais Monsieur Dubois paraît[2] sans sa femme.]

C : Ma femme ne pourra pas venir avec nous ce matin. Elle ne se sent[3] pas très bien.

B : Vraiment ? Je suis navré[4] de l'apprendre. Qu'a-t-elle ?

C : Elle a mal à la tête. Elle n'a pas bien dormi.

B : A-t-elle pris quelque chose ?

C : Pas encore. Elle souffre souvent de maux[5] de tête et les remèdes[6] habituels ne la soulagent[7] pas du tout. J'espère trouver en ville le médicament qu'il lui faut.

B : Voulez-vous lui faire nos compliments et lui dire que nous espérons qu'elle ira bientôt mieux.

A : Dites-lui que nous regrettons beaucoup qu'elle ne puisse[8] venir avec nous.

C : Je n'y manquerai[9] pas. Veuillez m'excuser un instant. Je veux voir si ma femme s'est endormie[10]; après j'irai chercher la voiture.[11] À tout à l'heure.[12] [Il s'en va.[13]]

[Quelques minutes plus tard]

C : Ca y est.[14] Me voilà prêt.[15] Si vous voulez bien, nous pouvons partir.

---

[1] *convenir*, to agree.
[2] *paraître*, to appear.
[3] *se sentir*, to feel.
[4] very sorry.
[5] plural of *le mal*.
[6] *le remède*, remedy.
[7] *soulager*, to relieve.
[8] subjunctive of *pouvoir*

[9] *manquer à faire qch.*, to omit to do sth.
[10] *s'endormir*, to fall asleep.
[11] car.
[12] see you later.
[13] *s'en aller*, to go away.
[14] all right.
[15] ready.

B : C'est bien aimable à vous de nous emmener[16] en ville.

C : C'est avec plaisir. Malheureusement je ne pourrai pas vous ramener[17] car il faut que je rapporte[18] à ma femme le remède dès que[19] j'aurai trouvé une pharmacie.

A : Cela va sans dire. Nous rentrerons par l'autocar.

C : Si cela ne vous fait rien je m'arrêterai au prochain poste d'essence.[20] Il ne me reste presque plus d'essence et je ne veux pas risquer une panne[21] en route.

[16] to take.
[17] to bring *or* take back (a person).
[18] to bring *or* take back (a thing)

[19] *dès que*, as soon as.
[20] filling station (*l'essence* (f.), petrol).
[21] breakdown.

CONSTRUCTION DE PHRASES

1.	Je suis content(e) Je suis heureux(se) C'est merveilleux C'est étonnant	de l'apprendre de vous voir ici de l'avoir trouvé d'être arrivé si tôt	**34, 79**

2.	Je regrette Je suis fâché(e)[1] Je suis désolé(e)[2] C'est ennuyeux	d'être en retard[3] de ne pas avoir répondu de ne pas pouvoir le faire de l'apprendre[4]	**79, 105**

[1] sorry.
[2] very sorry.

[3] to be late.
[4] to hear it.

3.	Je suis content Je suis heureux Je suis ravi[1] C'est merveilleux C'est étonnant	que vous ayez réussi[2] que rien ne soit cassé[3] qu'il l'ait trouvé que vous l'ayez fait que vous soyez déjà levé	**72, 74**

[1] delighted.
[2] succeeded.

[3] broken.

4. Je regrette | qu'elle soit malade | **74, 75**
Je suis fâché | qu'il n'ait pas répondu à ma lettre
Je suis navré[1] | que vous ne l'ayez pas fait
C'est dommage[2] | que vous ne soyez pas venu plus tôt
C'est étrange[3] | que vous deviez partir si tôt
C'est ennuyeux | qu'ils ne soient pas encore arrivés
C'est incroyable[4] | qu'elle ne puisse pas venir

[1] terribly sorry.
[2] a pity.
[3] strange.
[4] unbelievable.

5. Il faut | que vous y alliez | **71 (h), 74**
Il faudra | que je revienne
Il a fallu | que vous le finissiez
Il est important | que nous passions par là
Il est nécessaire | que vous en achetiez
Il est indispensable | que cela soit vite fait
Il est souhaitable | que vous vous y rendiez

6. J'aime | que vous lui écriviez | **74**
J'aime mieux | que vous leur parliez
Ils désirent | que ce bruit[1] cesse
On demande | que vous veniez demain
Je préférerais | qu'il revienne plus tard
Elle voudrait | qu'il soit plus prudent
Ils veulent | qu'on attende

[1] noise.

69 (a), 69 (b), 90

7. Je ne me sens[1] pas bien, | je souffre[2] | de rhumatismes
Il ne se sent pas bien, | il souffre | de maux de tête
Je ne me sentais pas bien, | je souffrais | de l'estomac
Je ne me suis pas senti bien, | j'ai souffert | d'une crise de nerfs

[1] *sentir*, to feel (conjugated like *dormir*, **69**).
[2] *souffrir*, to suffer (conjugated like *ouvrir*, **69**).

8. | Je tiens[1] à ce que | vous le fassiez | **74, 89** |
    | Il s'attend[2] à ce que | nous en achetions | |
    | Elle veille[3] à ce que | Jean les rende | |

[1] am anxious.   [2] expects.   [3] watches

9. | J'ai | mal[1] | au doigt | **2, 62** |
    | J'ai eu | | au pied | |
    | Avez-vous | | au genou[2] | |
    | As-tu | | aux dents | |
    | Tu auras | | à la gorge[3] | |
    | Tu dois avoir | | à la jambe | |
    | | | à l'œil | |
    | | | à l'estomac[4] | |
    | | le pied enflé[5] | | |
    | | les yeux enflammés[6] | | |
    | | froid aux mains | | |

[1] I have a sore . . my . . .   I have pains in   [4] stomach.
[2] knee.   [5] swollen.
[3] throat.   [6] inflamed.

10. | Il paraît[1] | ici | chaque jour | à la même heure **18** |
    | Elle paraissait | là-bas | toujours | vers cette heure-ci |
    | Il a paru | là-haut | comme | à trois heures |
    | Il paraîtra | au casino | d'habitude | précises |
    | Il va paraître | dans le jardin | de temps en temps | à l'heure du déjeuner |
    | | | deux fois par jour | à heure fixe |

[1] *paraître* or *apparaître*, to appear (conjugated like *connaître*, **70**).

11. | Je m'endors[1] | dès que[2] | je me couche[3] | **67, 69 (a)** |
    | Tu t'endors | | tu te couches | |
    | Il s'endort | | il se couche | |
    | Nous nous endormons | | nous nous couchons | |
    | Vous vous endormez | | vous vous couchez | |
    | Ils s'endorment | | ils se couchent | |
    | Je m'endormirai | | je me coucherai | |
    | Je me suis endormi | | je me suis couché | |

[1] fall asleep.   [2] as soon as.   [3] go to bed.

LES GENS*

Ce sont des gens* | très aimables.[1]
| très sympathiques.[2]
| très gentils.[3]
| très honnêtes.[4]
| très ennuyeux.[5]
| très regardants.[6]
| très bêtes.[7]
| très entêtés.[8]
| tout à fait charmants.[9]

[1] kind.
[2] likeable.
[3] nice.
[4] honest.
[5] boring, dull.
[6] close-fisted.
[7] stupid.
[8] obstinate.
[9] absolutely charming.

* gens (m. pl.), people. (Was originally feminine, and adjectives preceding gens still take the feminine form, e.g. les bonnes gens.)

C'est | un homme | aux cheveux gris.
| une femme | de taille moyenne.[1]
| | entre deux âges.[2]
| | aux traits[3] délicats.
| | aux épaules[4] larges.
| | de corpulence assez forte.
| | bien élevé.[5]
| | mal élevé.[6]

[1] of medium height.
[2] middle-aged.
[3] features.
[4] shoulders.
[5] well-mannered.
[6] ill-mannered.

Il a | les yeux gris.
Elle a | les cheveux châtain clair.[1]
| le visage[2] pâle.
| le dos voûté.[3]
| la tête petite.
| l'air content (mécontent).

[1] auburn.   [2] face.   [3] bent.

Une Ascension Manquée

A : MONSIEUR HAMMOND   B : MADAME HAMMOND
C : MONSIEUR DUBOIS   D : MADAME DUBOIS

[Bien que[1] le ciel fût[2] couvert, ils ne s'étaient pas laissés[3] décourager et étaient partis faire un tour en auto. Ils voulaient se rendre à un pic des environs du haut duquel on leur avait dit que la vue était magnifique par[4] temps clair. On leur avait également affirmé qu'il n'était pas nécessaire d'être alpiniste expérimenté pour atteindre[5] le sommet et qu'il suffisait de monter pendant une heure à partir d'un point que l'on pouvait atteindre en auto. Au besoin[6] on pouvait faire cette ascension par le funiculaire qui y monte.

Ils partirent* donc de bonne heure. L'auto roula rapidement à travers[7] une plaine verdoyante,[8] puis ils traversèrent la ville en klaxonnant[9] sans arrêt[10] pour avertir[11] les enfants qui jouaient dans les rues. Enfin ils entrèrent dans une vallée étroite bordée de ravins couverts de sapins.[12] Le paysage devint[13] de plus en plus accidenté.[14] Soudain la voiture s'arrêta.]

D : Tiens ? Pourquoi s'arrête-t-on ?

C : Un pneu[15] crevé.[16] Il faut que nous descendions. [*Ils descendent.*]

B : Regardez les jolies fleurs.

D : Comme elles sentent[17] bon.

---

[1] *bien que*, although.
[2] was (Imperfective Subjunctive of *être*, see **62**).
[3] *laisser*, to let.
[4] see **95**.
[5] to reach.
[6] *au besoin*, if required.
[7] *à travers*, across.
[8] *verdoyant*, green.
[9] *klaxonner*. to hoot (*le klaxon*, motor-horn).

[10] *un arrêt*, stop.
[11] to warn.
[12] (*m.*) pine.
[13] past definite of *devenir*, to become.
[14] uneven.
[15] tyre.
[16] burst.
[17] *sentir*, to smell.

*In the descriptive parts of this lesson the past definite is introduced (see **64**).

B : Croyez-vous que nous devions[18] prendre un guide pour l'ascension ?

A : Je ne crois pas que ce soit[19] nécessaire.

D : Dites donc, si[20] nous déjeunions maintenant ?

C : Excellente idée, vous pourriez préparer le pique-nique pendant que nous poserons la roue de rechange.[21]

[Après avoir déjeuné sur l'herbe,[22] ils remontent en voiture et continuent la route de montagne, longeant[23] des ravins escarpés.[24] Bientôt la route quitte la vallée de l'Arve pour suivre celle du Rhône.

Dès qu'ils furent[25] arrivés à l'endroit où ils devaient laisser la voiture pour faire l'ascension à pied, il se mit[26] à pleuvoir à verse.[27] Ils se réfugièrent au café de la gare du funiculaire. Ils y prirent[28] un filtre,[29] puis un autre et ainsi de suite[30] en mangeant des gâteaux, tandis que le propriétaire du café jouait du piano. Il en jouait si bien qu'il réussit[31] à leur faire oublier l'ascension manquée. Quand la pluie cessa enfin, il ne leur restait que juste le temps de rentrer à l'hôtel.]

[18] ought to.
[19] subjunctive of *être*, to be.
[20] see 102.
[21] *la roue de rechange*, spare wheel.
[22] *déjeuner sur l'herbe*, to picnic.
[23] to keep to the side of.
[24] steep.
[25] past definite of *être*.
[26] it started (past definite of *se mettre à*).
[27] *à verse*, in torrents.
[28] past definite of *prendre*.
[29] cup of coffee served with percolator on top.
[30] *et ainsi de suite*, and so on.
[31] past definite of *réussir*, to succeed.

CONSTRUCTION DE PHRASES

1. Si[1] nous allions | au cinéma | aujourd'hui ?   **102**

Si[1] nous allions	au cinéma	aujourd'hui ?
	danser	cet après-midi ?
	patiner	ce soir ?

Si nous	buvions	de l'orangeade ?
	prenions	du thé ?
	achetions	une bouteille de champagne ?

Si nous nous	couchions	maintenant ?
	levions	tout de suite ?
	reposions	sans plus attendre ?
	mettions à table	immédiatement ?

[1] what about . . .

2.	Je deviens	pâle	**3, 69** (c)
	Tu deviens	bronzé[1]	
	Il devient	chauve[2]	
	Vous devenez	boiteux[3]	
	Vous êtes devenu	myope[4]	
	Il deviendra	presbyte[5]	
	Il devrait devenir	officier	
		ingénieur	
		médecin[6]	

[1] sunburnt.   [4] short-sighted.
[2] bald.   [5] long-sighted.
[3] lame.   [6] doctor.

				65, 69 (c)
3.	Cela	devient	assez	intéressant
		deviendra	très	agréable
		deviendrait	de plus en plus	désagréable
		devenait	de moins en moins	facile
		est devenu	extrêmement	difficile
		était devenu	tout à fait[1]	étrange
		pourrait devenir	plutôt[2]	terrible

[1] entirely.   [2] rather.

4.	J'espère	qu'il est content	**74, 76**
	Je crois	qu'il a réussi[1]	
	Je sais	que Jean l'a reçu	
	Je suis sûr	qu'il le fera	
	Il est certain	qu'il fera beau demain	
	Il est évident	que c'est vrai	
	Il est probable	qu'ils viendront bientôt	
	Il paraît	qu'on les a expédiés[2]	

réussir, to succeed.   [2] sent off.

	Croyez-vous	que ce soit[1] nécessaire	**72, 74**
	Je ne crois pas	qu'il s'en souvienne[2]	
	Il est possible	qu'on les ait[3] expédiés	
	Il n'est pas certain	qu'elle vienne[4]	
	Je ne dis pas	que ce soit[1] possible	
	Je ne suis pas sûr	qu'il y aille[5]	
	Ne croyez-vous pas	que nous puissions[6] l'éviter	

[1]-[6] subjunctives of [1] *être*, [2] *se souvenir*, [3] *avoir*, [4] *venir*, [5] *aller*, [6] *pouvoir*.

5. Il faut le faire

| | bien[1] afin[3] pour[2] jusqu'à ce[3] | qu'il | ne vienne pas ici   **75, 99** n'y aille pas ne sorte pas par un   temps pareil[4] ne le prenne plus |

[1] *bien que*, although.
[3] *afin que*, *pour que*, so that.
[3] *jusqu'à ce que*, until.
[4] such.

6.

| J'espère Il espère Nous espérons Vous espérez Ils espèrent Il faut espérer | que | votre femme ira mieux bientôt **68 (f), 76** ce ne sera pas trop cher le ciel[1] va s'éclaircir[2] il y aura assez à manger le temps va changer il n'y aura pas trop de monde[3] |

[1] sky.   [2] clear.   [3] too many people.

99

7. Je

| | vous lui leur | ai dit que | je le ferai je lui écrirai je le lui dirai je leur   téléphonerai je m'en occuperai | quand aussitôt que[1] dès que[1] lorsque[2] | j'aurai fini mon   travail vous voudrez je rentrerai chez   moi je pourrai j'arriverai j'en aurai le temps |

[1] as soon as.   [2] *lorsque*, (at the time or moment) when.

114 (1), 115 (1)

8.

| Allons Pourquoi ne pas Il est facile de J'aime à Je voudrais Il ne veut pas Je viens de Je venais de Il ne faut pas Cela ne me fait rien de | jouer

parler causer[1] | du piano du violon de la harpe aux cartes au bridge au tennis à la balle

affaires[2] politique sport | avec | lui elle eux elles |

[1] to talk, chat.   [2] business.

9.				
Il pleut	toujours	ici	en avril	
Il pleuvra	souvent	là	au printemps	
Il pleuvait	quelquefois	à cet endroit	en été	
Il a toujours plu		dans ce pays	à cette saison	
Il peut pleuvoir		en montagne	à cette époque	

10. Bienqu'Bien que[1]	le ciel ait été couvert de nuages	ils sont partis
	il n'ait pas assez d'expérience	ils ont tenté
	il ait fait mauvais temps	l'excursion
		ils se sont mis
		en route

[1] although.

L'Ouïe, L'Odorat, La Vue

1. On entend

un bruit formidable.[1]
une fenêtre ⎤ qui grince.
une porte ⎦
le plancher qui craque.
le tonnerre qui gronde.
un chat qui miaule.
un chien qui aboie.
un cheval qui hennit.
un coq qui chante.

2. Ça sent

le gaz.
le pétrole.[2]
l'ail.[3]
l'essence.[4]

[1] tremendous noise.
[2] petroleum, paraffin oil.
[3] garlic.
[4] petrol.

3.	
Lever les yeux	*to look up.*
Baisser les yeux	*to look down.*
Suivre des yeux	*to follow with one's eyes.*
Perdre quelque chose de vue	*to lose sight of something.*
Jeter un coup d'œil	*to have a look.*
Regarder fixement ⎤	*to stare.*
Dévisager ⎦	
Allumer (éteindre) la lumière	*to switch the light on (off)*

Commissions en Ville

A : LE CLIENT (*ou* LA CLIENTE)   B : LE VENDEUR (*ou* LA VENDEUSE)

AU GUICHET[1] DU THÉÂTRE

A : Je voudrais deux fauteuils d'orchestre[2] pour mardi 24.

B : Je ne pourrài vous les donner qu'au 14ᵉᵐᵉ rang.[3]

A : Et au balcon ?[4]

B : Vous avez de la chance, il me reste deux places ensemble au 3ᵉᵐᵉ rang : numéros 45 et 46, les voici, à gauche. [*Elle indique les places sur un plan.*]

A : Non, j'ai horreur d'être de côté. Donnez-moi plutôt[5] les deux places à l'orchestre.

[1] booking office.
[2] *le fauteuil d'orchestre*, orchestra stall.
[3] row.
[4] circle.
[5] rather.

DANS UN GRAND MAGASIN[1]

A : J'ai vu dans la vitrine[2] un foulard[3] qui me plaît. Voulez-vous me le faire voir ?

B : Je crois que c'est celui-ci.

[*La vendeuse montre un foulard qui n'est pas celui que la dame voulait voir.*]

A : Non, ce n'est pas le même. Celui qui est en vitrine me plaît davantage.

B : Je vais aller vous le chercher. Si vous voulez bien me suivre[4] pour me l'indiquer.[5]

A : Oui, bien sûr,[6] comme cela il n'y aura pas d'erreur.

[1] *le grand magasin* department store.
[2] shop window.
[3] scarf.
[4] to follow.
[5] to point out.
[6] that's right!

À LA PHARMACIE[1]

A : Auriez-vous l'obligeance de me préparer cette ordonnance ?[2]

B : Certainement, si vous voulez bien repasser[3] dans un quart d'heure, ce sera prêt.

[1] chemist's.　　　　[2] prescription.　　　　[3] to call again.

DANS UN MAGASIN DE CHAUSSURES[1]

A : Voulez-vous me montrer les souliers de daim[2] à 35 francs.

B : Quelle pointure ?[3]

A : Du 37, je crois.

B : Quel dommage,[4] il ne nous reste que du 38. Mais voilà une paire presque[5] pareille.[6]

A : Non, ce n'est pas tout à fait[7] ce que je cherche. Je n'aime pas les talons[8] si hauts.

B : Je vais vous montrer autre chose. Voilà un article à talons plus bas, au même prix ; voulez-vous les essayer ?[9]

A : Je veux bien. [*Elle les essaie.*] Voilà qui est parfait, je les prends. [*Elle paie et prend le paquet.*]

B : Merci, madame. Au revoir, madame, au plaisir.[10]

[1] *la chaussure* footwear.　　　　[6] *pareil, -le*, alike.
[2] suede.　　　　[7] entirely.
[3] size.　　　　[8] (*m.*) heel.
[4] what a pity!　　　　[9] to try on.
[5] almost.　　　　[10] *de vous revoir* is understood.

A LA BANQUE

A : Je voudrais changer des chèques de voyage

B : Voyez au deuxième guichet à droite, s'il vous plaît.

A : Quel est le cours[1] de la livre sterling aujourd'hui ?

B : 13 francs 80. C'est le cours officiel. Si vous voulez bien remplir[2] cette fiche.[3] Votre nom et votre adresse en majuscules,[4] s'il vous plaît. Votre signature au bas. [*Il remplit la fiche.*] Là, ça y est.[5] Si vous voulez bien attendre votre tour[6] à la caisse.[7]

[1] rate of exchange.　　　　[5] that's it.
[2] to fill in.　　　　[6] (*m.*) turn.
[3] form.　　　　[7] pay desk *or* counter.
[4] (*f.*) capital letters.

1.

Nous allons	chez	le boulanger	au coin[6] de la rue	**95**
Il me faut aller		le boucher	en face de la poste	
Vous le trouverez		le charcutier[1]	à l'autre bout de	
Je suis allé		le crémier[2]	l'avenue	
Je l'ai acheté		le pharmacien[3]	de l'autre côté du	
Elle l'a commandé		la couturière	boulevard	
			à 100 mètres d'ici	
			qui est près de la gare	

Je suis allé	à la	boulangerie
Vous le trouverez	dans	boucherie
Je l'ai acheté	une	charcuterie
Nous l'achetons		crémerie
toujours		pharmacie
		papeterie[4]
		librairie[5]

[1] delicatessen.
[2] dairyman.
[3] chemist.
[4] stationer's shop.
[5] bookshop.
[6] corner.

68 (d), 95

2.

J'achète	souvent	du chocolat	à l'épicerie[1] de
Tu achètes	toujours	des bonbons	la rue Martine
Il achète	quelquefois	de la confiture	chez l'épicier en
Nous achetons	généralement	des saucisses	face de chez
Vous achetez	rarement	du jambon	nous
Ils achètent	de temps en	de l'huile	au supermarché
J'achetais	temps	du vinaigre	dans un
J'ai acheté	chaque semaine	du vin	hypermarché
J'achèterai	tous les mois	tout ce qu'il	hors de la
J'achèterais	régulièrement	faut	ville
Je dois acheter	deux fois par		
	mois		

[1] groceries, grocer's shop.

3.

Où	l'	avez-vous	vu ?*	**65**
	les		acheté ?*	
	en		mis ?*	
			pris ?*	
			trouvé ?*	

* add -e for feminine, -s for plural.

4.

Est-ce que	ce livre	l'	intéresse	**101**
Nous ne savons pas si	cette pièce	les	intéresserait	
Ils me demandent si	cela	vous	a intéressé*	

*add -*e* for feminine, -*s* for plural.

5.

24, 69 (d)

Est-ce que	ce foulard	lui	appartient²
Il ne sait pas si	cette ceinture¹	leur	
Elle me demande si	cela	vous	
Je leur demanderai si		m'	
		t'	

¹ belt.   ² *appartenir*, to belong [like *tenir*, **69 (d)**].

6.

31, 68 (a)

Ce chapeau	(ne)	me	va¹	(pas)
Cette couleur		te		
Le bleu		vous		
Celui-ci		lui		
Celle-là		leur		
(*Ceux-ci*)			(*vont*)	

¹ suits.

7.

Je voudrais quelque chose	de	plus grand	**19, 75**
		plus fort	
		plus clair	
		plus élégant	
		moins voyant¹	
		meilleur marché	
		qui aille² avec mon manteau	

¹ showy.   ² subjunctive of *aller*.

8. COMBIEN DE . . . DÉSIREZ-VOUS ?   **25, 48**

Donnez-m'en	une dizaine
	une demi-douzaine
	une vingtaine
	un mètre
	un kilo
	250 grammes

Donnez-moi	le quart	de ce gâteau
	la moitié¹	de ce fromage
	les trois-quarts	de ceci

47

¹ half.

Je l'ai payé(e)	un franc	le kilo
Cela coûte	francs	la douzaine
C'est		le mètre
Ce sera		l'heure

10.

Pouvez-vous	me	trouver deux places	pour	mercredi	98
Pourriez-vous	leur	retenir une loge		prochain	
Veuillez	nous	fixer un rendez-vous		demain soir	
Voudriez-vous	lui	louer une voiture		cet après-midi	
				aujourd'hui en	
				huit	

11.

J'aime à	monter à cheval	79, 81
Je m'habitue à	me lever de bonne heure	
Je commence à	me mettre à table à midi	
Je tiens à[1]	me servir d'un rasoir électrique	
Je passe mon temps à	me faire maigrir[2]	
J'ai envie de	me priver[3] de tout cela	
J'ai l'intention de	prendre un bain tous les jours	
Je refuse de	changer de place	
Il m'a dit de	marcher avec de hauts talons	
On m'a défendu de	changer mes chèques de voyage	
On m'a permis de	choisir des objets en vitrine	
	préparer les ordonnances urgentes	

[1] *tenir à*, to be keen on.   [3] *se priver*, to deprive oneself.
[2] *maigrir*, to slim.

FORMULES DE CONVERSATION

LES ACHATS

Avez-vous ? . . . Montrez-moi . . . Je voudrais . . . Voulez-vous
me montrer . . . On m'a dit que je trouverai ici . . . J'ai lu dans
les journaux que vous soldiez[1] des . . .

Je n'aime pas ce genre-là. Cela ne me convient[2] pas. N'avez-vous
rien d'autre ? Combien (cela vaut[3]-il) s'il vous plaît ?

C'est trop (très, horriblement) cher. N'en avez-vous pas de
meilleur marché ? Est-ce là votre dernier prix ? Je ne veux pas
payer tant que cela. Ne pouvez-vous pas me le laisser pour 15 francs?
Je le prends. J'en prendrai un kilo.

[1] *solder*, to sell at a reduced price ;   [2] *convenir*, to suit.
   le solde, clearance sale.   [3] from *valoir*, to be worth.

LE PRIX

Trois timbres[1] à 2 francs 15 centimes.
Je l'ai payé 50 francs.
Ces oranges valent (coûtent) 30 francs le kilo.

[1] stamps (*m. pl.*)

LA DISTANCE

Combien y a-t-il d'ici à Lyon ?
À quelle distance[1] sommes-nous de la ville ?
Nous sommes à trois kilomètres de là.
Les autorails[2] font du 80 km. à l'heure.

[1] how far is it.   [2] diesel railcars.

LES DIMENSIONS

Ce tapis[1] a 5 mètres de long sur 4 mètres 50 de large.
Un lac profond d'un mètre.
Une tour haute de 35 mètres.

[1] carpet.

Au Bord du Lac

A : MADAME HAMMOND   B : MADAME DUBOIS

A : Quelle chaleur !¹

B : Oui, on étouffe.²

A : Quels sont vos projets pour aujourd'hui ?

B : Nous pensons aller nous baigner.³

A : Et après ?

B : Nous n'avons pas encore décidé.

A : Vraiment ?⁴ Eh bien, si vous êtes libres ce soir, voudriez-vous nous faire le plaisir de dîner avec nous en ville? C'est notre dernier jour, vous savez.

B : Pas possible ! Déjà finies les vacances ? Quel dommage que vous ne puissiez rester un peu plus longtemps ! C'est si beau ici ! D'ailleurs⁵ cela vous ferait du bien.

A : C'est le plus bel endroit que je connaisse. Je commence à m'habituer à la vie calme et paisible dont nous jouissons ici. J'aurais bien envie⁶ de rester plus longtemps, malheureusement c'est impossible. Mon mari doit être de retour après-demain. Combien de jours vous reste-t-il encore ?

B : Nous sommes arrivés il y a huit jours et resterons jusqu'au 23 : quinze jours en tout.

A : Où est Monsieur Dubois ?

B : Il est allé chercher la voiture.

A : Mon mari attend le facteur.⁷

B : Mais il a déjà passé. Je l'ai vu arriver.

A : Pas possible ! Je vais prévenir⁸ mon mari.

¹ heat.
² it is stifling.
³ *se baigner*, to bathe.
⁴ is that so ?

⁵ besides.
⁶ *avoir envie*, to wish.
⁷ postman.
⁸ let know.

B : Ne voulez-vous pas venir avec nous à la piscine[9] où j'apprends à nager ?

A : Je vais demander à mon mari. Moi, j'adore toujours me baigner mais je ne sais pas si cela lui plaîra, puisqu'il s'est fait mal[10] au bras.

[Madame Hammond sait bien nager. Elle plonge du grand plongeoir,[11] tandis que son mari, installé à la terrasse d'un café au bord de l'eau, regarde les centaines de bateaux,[12] voiliers[13] et canots[14] qui vont et viennent sur le lac.]

[9] swimming baths.
[10] *se faire mal*, to hurt oneself.
[11] diving board.

[12] *le bateau*, boat.
[13] *le voilier*, sailing boat.
[14] *le canot*, dinghy.

CONSTRUCTION DE PHRASES

1.

Il y a	quinze jours	que	nous sommes ici	47
	un quart d'heure		je l'ai acheté	
	une demi-heure		je vous attends	
	trois quarts d'heure		je le sais	
	une heure et demie			
	une semaine	qu'	il est ici	
	trois mois		elle fait cela	
	un an		on le lui a dit	
	longtemps			
	peu de temps			

2.

Cet enfant a	plus	de	5 mois	20 (d
Nous sommes ici depuis	moins		3 ans	
Nous resterons				
Il est son aîné[1] de				

[1] elder.

3.

Je me suis	coupé le doigt	2, 65 (b)
Je m'étais	fait mal au pied	
Il s'est	fait une entorse à la cheville[1]	
Il s'était	offert un bon dîner	
Est-ce que vous vous êtes	fait faire un nouveau costume	
Est-ce que tu t'es	fait couper les cheveux[2]	

[1] sprained the ankle.   [2] had a haircut.

4. Voulez-vous vous | laver les mains ?
    Ne voulez-vous pas vous | poudrer le visage ?[1]
    Veux-tu te | dégoudir[2] les jambes ?
    Ne veux-tu pas te | nettoyer les ongles ?[3]
    Veut-elle se | reposer ?
    Ne veut-elle pas se | mettre à table ?

[1] face.   [2] to stretch.   [3] (*m. pl.*) nails.

5. Cela | me | donne soif
         | vous | fait peur
         | lui | fera du bien[1]
         | leur | fera du mal[2]

[1] do good.   [2] hurt.

6. Je cherche | quelqu'un | qui sache[1] conduire[2]
    Il me faut | | qui ait de l'expérience
    Je préfère | | qui connaisse son affaire[3]
    Y a-t-il | | qui connaisse la sténographie
    On demande | | qui comprenne l'anglais

[1] subjunctive of *savoir*.   [3] (*f.*) business.
[2] to drive (a car).

7. Je le ferai | pour que | Marie réussisse[1]
    Vous le ferez | afin que | Marcel le dise
    Faites-le | de sorte que | Claire s'en souvienne[2]
    Ils le font | jusqu'à ce que | Charles cesse de jurer[3]

[1] subjunctive of *réussir*, to succeed.   [3] to swear.
[2] subjunctive of *se souvenir de*, to remember.

8. Si vous êtes libre | ce soir, | venez nous voir.
    Si vous n'avez rien à faire | cet après-midi, | voulez-vous nous faire le plaisir de dîner avec nous ?
    Si vous n'avez pas d'autres projets | demain, | viendrez-vous avec nous ?
    | le treize, | voudrez-vous nous accompagner ?

Si vous le voyez, | dites-lui | de me téléphoner
    | voulez-vous lui dire | de ne pas oublier de m'envoyer ce qu'il
    | voudriez-vous lui rappeler[1] | m'a promis

[1] to remind.

94

9. C'est le plus bel endroit | que j'aie[1] trouvé   **19, 75**
C'est la plus belle promenade | que je connaisse
C'est le meilleur hôtel | qu'on puisse[2] trouver
C'est le meilleur marché | qui s'y trouve
C'est le livre le plus intéressant | que je puisse vous recom-
                                            mander

[1] subjunctive of *avoir*.   [2] subjunctive of *pouvoir*.

---

10. J'apprends à | nager   **79, 80, 81**
Je m'amuse à | conduire
Je passe le temps à | tricoter
Voulez-vous m'apprendre à | parler français
Je sais | dessiner[1]
Nous voulons | monter à cheval[2]
Il vaut mieux | faire du vélo[3]
On m'a défendu de | regarder cela
On m'a conseillé de | jouer au tennis
Il m'a promis de | construire[4] un appareil de T.S.F.[5]

[1] to draw.   [4] to build.
[2] to ride a horse.   [5] short for *Télégraphie Sans Fil*,
[3] *faire du vélo*, go in for cycling.   wireless.

---

11. Je venais de | rentrer | quand | j'ai reçu sa réponse   **99**
                 le finir | lorsque | vous êtes arrivé
                 lui écrire | lorsqu' | elle m'a téléphoné
                 me reposer | | il a commencé à
J'étais à la campagne | pleuvoir
Je lisais le journal | il m'en a parlé
                                                l'orage a éclaté

---

12. Je crains[1] | d'être en retard   **70 (e), 74**
Tu crains | de manquer le train
Il craint | de le déranger[2]
Nous craignons | de ne pouvoir le faire
Vous craignez | de n'avoir pas assez d'argent
Ils craignent | d'être dérangé*
Je craindrai | qu'il n'y ait trop de monde[3]
J'ai craint | qu'il n'y ait des souris[4]
Il doit craindre | que le train n'arrive en retard

[1] from *craindre*, to fear.   [3] too many people.
[2] to disturb.   [4] (*f. pl.*) mice.
* add -*e* for feminine, -*s* for plural.

C'est	de la part de	Monsieur Bonnot
Dites-le-lui		ma femme
Faites-le-lui savoir		mon mari
Voilà ce qu'on vous donne		
Je voudrais le lui dire	de ma	part
Il vaudrait mieux le lui	sa	
demander	leur	

[1] on whose behalf ? from whom ?

LE TEMPS

QUEL TEMPS FAIT-IL ?

Il fait beau (mauvais, chaud, froid, doux, frais, clair, sombre, etc.).
Il fait un temps superbe (agréable, magnifique).
Il fait un temps affreux (désagréable, épouvantable).
Il fait un temps humide (pluvieux, nuageux, brumeux).
Il fait une chaleur étouffante[1] (un froid de loup, un temps de chien).
Le temps est beau (mauvais, sec, lourd, orageux, etc.)
Le temps s'éclaircit[2] (se maintient, se remet au beau, va changer).
Il pleut (neige, gèle,[3] dégèle,[4] grêle,[5] bruine,[6] pleut à verse,[7] tonne[8]).
Il y a du soleil (du vent, de l'orage, du brouillard, des éclairs[9]).
Nous avons une belle journée (une journée pluvieuse,[10] de la neige,
   du brouillard, du verglas,[11] etc.)

[1] stifling.
[2] is clearing.
[3] freezes.
[4] thaws.
[5] hails.
[6] drizzles.
[7] is pouring.
[8] thundering.
[9] lightning.
[10] rainy.
[11] black ice

QUEL VENT Y A-T-IL ?

Il y a un vent doux (frais, froid, glacial, d'orage).
Le vent est à l'est (à l'ouest, au sud, au nord).
Le vent vient de l'est (de l'ouest, du sud, du nord).
Le vent se lève (diminue, cesse, tourne, a changé).

La Fin du Séjour[1]

A : MONSIEUR HAMMOND   B : MADAME HAMMOND
C : MONSIEUR DUBOIS   D : MADAME DUBOIS
E : LA PROPRIÉTAIRE DE L'HÔTEL

A : Nous voilà à la fin de notre séjour. Nous partirons demain. Voulez-vous préparer notre note.[2]

E : J'espère que vous avez été content de votre séjour, monsieur.

A : Certes, nous avons été très contents. Nous ne manquerons[3] pas de recommander votre hôtel à tous nos amis.

E : Vous êtes bien aimable, monsieur. Nous tâchons[4] toujours de satisfaire nos clients.

B : Et vous y réussissez[5] à merveille,[6] madame.

A : Je passerai plus tard pour régler[7] mon compte et vous faire mes adieux.

[Le soir, comme convenu, les Hammond emmènent[8] les Dubois dans un restaurant. Bien qu'ils aient pas mal[9] bu, ils rentrent à l'hôtel sans encombre.[10]]

C : Encore une fois merci de cette bonne soirée. Nous nous sommes très bien amusés.

D : Le dîner était délicieux et les vins excellents.

B : Vous êtes trop aimables. Hélas, il faut nous dire au-revoir maintenant puisque[11] demain nous partirons de bonne heure.

D : Nous serons levés. Mon mari vous conduira à la gare.

A : C'est bien aimable à vous d'y avoir pensé ; mais ce ne sera pas nécessaire. Le fils du propriétaire se charge[12] de nous conduire à la gare.

---

[1] *le séjour*, stay.
[2] *la note*, bill.
[3] *manquer*, to fail.
[4] *tâcher*, to try.
[5] *réussir*, to succeed.
[6] *à merveille*, wonderfully.
[7] *régler*, to settle.
[8] *emmener*, to take out.
[9] *pas mal*, a fair amount.
[10] = *sans accident*.
[11] since.
[12] *se charger de*, to undertake.

D : Tant pis, cela nous aurait donné l'occasion de vous voir une dernière fois. Mais nous ne voulons pas vous retenir plus longtemps. Vous avez sans doute à faire vos valises.

B : Non, c'est fait ; nous les avons bouclées cet après-midi.

D : J'espère que vous nous donnerez de vos nouvelles.

B : Nous n'y manquerons pas. Si jamais vous venez en Angleterre faites-nous signe.

D : Nous vous donnerons un coup[13] de téléphone tout de suite en arrivant. Et si vous passez un jour par Lyon arrêtez-vous pour nous rendre[14] visite.

A : Voici des épreuves[15] de mes photos les plus réussies.

D : Merci beaucoup. Ce sera un beau souvenir des moments passés ensemble.

B : Voici l'esquisse[16] qui vous avait tant plu. Vous savez que c'est mon mari qui l'a dessinée.[17]

D : Je m'en doutais.[18] C'est bien gentil de votre part[19] de vous en priver[20] pour nous.

A : Mais je vous en prie . . . Cela a été un grand plaisir de faire votre connaissance.

C et D : Bon voyage et bon retour.

A et B : Au revoir et bonne fin de séjour.

[13] see page 101.
[14] *rendre visite à qn.*, to pay so. a visit.
[15] prints.
[16] (*f.*) sketch.
[17] *dessiner*, to draw.
[18] *se douter de*, to suspect.
[19] of you.
[20] *se priver de*, to deprive oneself of.

CONSTRUCTION DE PHRASES

1.			
Nous sommes ici	depuis	quinze jours	**59 (b), 98**
Je vous attends		longtemps	
Ça dure		ce matin	
Il le fait		hier soir	

2.		
Je suis enchanté[1] de faire	votre connaissance[2]	**22, 79**
Je serais enchanté de faire	sa connaissance	
Ils seraient enchantés de faire	leur connaissance	
Nous sommes enchantés d'avoir fait	la connaissance de votre fils	

[1] delighted.　　　　[2] acquaintance.

3.

				34, 66
C'est	fait	par	lui	
C'était	écrit		elle	
Ce sera	corrigé		nous	
Ce serait	changé		eux	
Ç'a été	commencé		moi	
Ça doit être	fini		un autre	
Ça pourrait être	envoyé		mon ami	
Il avait été	vendu		Monsieur Leblanc	
Ça devrait être	traduit		un spécialiste	
Il faut que ce soit	copié		toi	
Il faudrait que ce soit	lu		mon collaborateur	

4.

			86
Je commence	à	m'y habituer[1]	
Je commencerai		m'en servir[2]	
J'ai commencé		m'en contenter	
Je finis	de	m'y opposer	
Je finirai		m'y intéresser	
J'ai fini		m'en débarrasser[3]	

[1] to get used to it.   [2] to use it.   [3] to get rid of it.

5.

			79, 80
Je regrette	de	l'avoir manqué[1]	
		vous avoir fait attendre[2]	
		ne pas pouvoir le faire	
		ne pas pouvoir venir demain	
	d'être en retard		

[1] missed.   [2] *faire attendre*, to keep waiting.

6.

		93
Il a manqué d'être[1]	noyé[2]	
	tué	
	renversé[3]	
	écrasé[4]	

[1] was nearly.   [3] knocked down.
[2] drowned.   [4] run over.

7.

		116, 117
Il faut	en profiter	
	s'en servir[1]	
	s'en contenter[2]	
	y entrer	
	s'y intéresser	

[1] to use it.   [2] to be satisfied with it.

8.

			25, 67
Je veux m'	en	aller	
Il veut s'		servir	
Nous voulons nous		occuper	
Vous voulez vous		débarrasser[1]	
Ils veulent s'		passer[2]	
Dites-lui de ne pas s'	y	intéresser	
On ne doit pas s'		opposer	
		attendre	
		habituer[3]	

[1] to get rid of it.   [2] to do without it.   [3] to get used to it.

9.

			67, 113
Dites-lui	de	se calmer	
Dites-leur		se dépêcher	
Il faut lui dire		se contenter de cela	
Il faut leur dire		se lever de bonne heure	
		ne pas s'inquiéter[1]	
		ne pas s'en moquer[2]	
		ne pas se laisser[3]	insulter
			intimider
			décourager
			retarder[4]

[1] to worry.   [3] to allow oneself to be.
[2] to make fun of.   [4] to delay.

10.

				114
A-t-elle	des nouvelles[1]		de notre frère	
Nous avons eu			de nos amis	
Donnez-nous	de	ses	nouvelles	
		vos		
		leurs		

[1] (f. pl.) news.

11.

		82
Il fait trop froid	pour se baigner	
	pour rester dehors[1]	
	pour faire un pique-nique	

[1] outdoors.

12.

			82
Je ne l'ai pas dit pour	le	blesser[1]	
	la	critiquer	
	les	chicaner[2]	
	vous	agacer[3]	

[1] to wound.   [2] to annoy.
[2] to squabble with.

13. Si vous êtes un jour à Londres   venez nous voir
Quand vous viendrez en Angleterre   vous devriez venir nous
Aussitôt que vous serez arrivé   voir
il faudra me donner un
coup de téléphone

14. J'ai | si[1] | froid   **14, 52**
      | tellement[1] | mal
      | | envie de le voir
      | | besoin de la faire

[1] so (si is less emphatic than *tellement*).

UN COUP DE . . .

Un coup de		
	téléphone	*a phone-call*
	main	*a helping hand*
	pied	*a kick*
	marteau	*a hammer blow*
	tonnerre	*a thunder clap*
	sonnette	*a ring of the bell*
	fusil	*a rifle shot*
	revolver	*a revolver shot*
	couteau	*a stab (with a knife)*
	brosse	*a "brush"*
	vent	*a gust (of wind)*
	d'œil	*a glance*

Jeter un coup d'œil	*to have a look round*
Un coup à la porte	*a rap at the door*
Le coup d'envoi	*"kick off" at football*
Un coup droit	*forearm stroke at tennis*

Aussitôt dit, aussitôt fait.⎫
Ainsi dit, ainsi fait. ⎬ *No sooner said than done.*

À d'autres! *Tell that to the marines!*

J'en ai vu bien d'autres. *I have seen stranger things than that.*

En avoir pour son argent *to have one's money worth*

Arriver à ses fins *to gain one's ends; to succeed*

Faire un poisson d'avril à qn. *to make an April fool of so.*

À vue de nez *at first sight; at a rough estimate*

C'est une affaire faite! *Done! It's a deal!*

En voici une affaire. *Here's a pretty kettle of fish.*

Voici dont il s'agit. *The thing is this.*

Aimer ses aises *to like creature comforts*

Être mal à son aise *to feel ill at ease*

Cela est plus aisé à dire qu'à faire. *That is easier said than done.*

Cela (*or* il) va de soi. *That is a matter of course.*

Cela va tout seul. *It is all plain sailing.*

Filer à l'anglaise *to take French leave*

Être fort comme un Turc=être très fort

Avoir un œil qui dit zut à l'autre *to squint*

Être à sec=être sans argent

Joindre les deux bouts *to make both ends meet*

Faire la noce *to make whoopee*

Arriver sain et sauf *to arrive safe and sound*

Être pris sur le fait *to be caught in the act*

Marcher à la queue leu leu⎫
Marcher en file indienne ⎬ *to walk in single file*

Avoir du sang froid *to be self-possessed*

Prendre la clef des champs ⎫
Prendre ses jambes à son cou ⎬ *to run away*

Se sauver   *to go away; to be off*

Tenir bon   *to stick to it; not to give way*

Avoir de quoi vivre   *to have enough to live on*

Faute de mieux   *for want of something better*

Cela vaut mieux.   *That is better.*

Allons-y!   *Well, here goes.*

Allons donc.   *Come along; get a move on; get on with it; nonsense!*

J'ai peine à le croire.   *I can hardly believe it.*

Faire la queue   *to queue*

À quoi voulez-vous en venir?   *What are you driving at?*

À mon insu   *unknown to me*

Qu'est-il devenu?   *What has become of him?*

Que voulez-vous que j'y fasse?   *How can I help it?*

Cela fait mon affaire.   *That suits me.*

Je n'y suis pour rien.   *I have nothing to do with it.*

Se faire rouler par qn.   *to be cheated by so.*

Ce n'est pas la mer à boire = ce n'est pas très difficile

Il l'a echappé belle.   *He had a narrow escape.*

Donnez-moi un coup de main!   *Give me a hand!*

Vous n'avez pas besoin de vous gêner avec moi.   *You need not stand
    on ceremony with me.*

Prenez garde de tomber.   *Mind you don't fall.*

Mêlez-vous de vos affaires.   *Mind your own business.*

Il vous faut faire acte de présence.   *You must put in an appearance.*

Il m'a fait un bon accueil.   *He received me well.*

C'est une bonne aubaine.   *It is a god-send, a windfall.*

Avoir de la chance (de la veine)   *to be lucky*

Avoir de la malchance (de la déveine, de la guigne)   *to be unlucky*

C'est sa bête noire.   *It is his pet aversion.*

Nous sommes brouillés.   *We have quarrelled; we are not on speaking
    terms.*

Je ne m'y connais pas.   *I am no judge of it.*

Prendre les choses du mauvais côté *to look on the black side of things*

Si le cœur vous en dit. *If you feel inclined.*

On vous écorche dans cet hôtel. *They fleece you in this hotel.*

Faire d'une mouche un éléphant *to make a mountain out of a molehill*

C'est un homme comme il faut. *He is a gentleman.*

Faire d'une pierre deux coups *to kill two birds with one stone*

Qui vivra verra. *Time will tell.*

Réflexion faite *on second thoughts*

Ne faites semblant de rien. *Just look as if nothing has happened.*

C'est à faire perdre patience. *It is enough to make you lose patience.*

Son nom ne me revient pas. *I cannot remember his (her) name.*

À quoi bon? *What's the use?*

Grammatical Explanations

The Article

1.

	MASCULINE	FEMININE	PLURAL	
Definite Article	*le (l'*)*	*la (l'*)*	*les*	the
Indefinite Article	*un*	*une*	—	a, an
Partitive Article	*du (de l'*)*	*de la (de l'*)*	*des*	some, any

de le is replaced by *du* ; *à le* is replaced by *au*.
de les is replaced by *des*; *à les* is replaced by *aux*.
* before a noun beginning with a vowel or *h* mute.

2. The definite article is used in some cases where English has either the indefinite article, a possessive adjective or no article at all.

Cela coûte 10 *francs le mètre (le kilo, le litre)*—80 *kilomètres à l'heure*—*à la page* 43—*il tenait un livre à la main*—*j'ai mal à la tête* —*elle a les yeux bleus*—*l'hiver a été très froid cette année*—*j'aime le vin*—*j'apprends le français*—*j'ai visité la France et le Portugal*— *ce gâteau a l'air délicieux*—*je viens du Canada.*

The article is repeated with successive nouns :

le roi et la reine ; le père et le fils.

3. The indefinite article is used, on the whole, as in English, except in the cases mentioned in the preceding section. Note, however :

Il est français (ingénieur).	He is a Frenchman (an engineer).
J'ai mal aux dents.	I have toothache.
Elle a le nez pointu.	She has a pointed nose.
Quelle foule !	What a crowd !
Le potage a un goût de citron.	The soup tastes of lemon.

4. The partitive article not only corresponds to " some " and " any ", but is also used where the article is omitted in English :

avoir de l'expérience (du courage, de la chance, etc.)	to have experience (courage, luck, etc.)
Je bois de l'eau.	I drink water.
Ce n'est pas de la soie, c'est du coton.	That is not silk, it is cotton.

5. *De* without the definite article is used : (*a*) in negative sentences† (*Je n'ai pas d'argent*) ; (*b*) before an adjective preceding a noun† (*Il y a de bons vins*); (*c*) after adverbs of quantity such as *beaucoup, peu, plus, moins, assez, combien, trop*, etc., but not *bien*.

† In the spoken language *du, de la, des* are frequently used in such cases.

THE NOUN

6. GENDER

Although it is impossible to give rules for recognising the gender of all nouns, the following will be helpful.

Masculine

(*a*) Names of male persons[1] and animals.[2]
(*b*) Trees, colours, metals, languages.
(*c*) Days, months, seasons, points of the compass.
(*d*) Nouns with the endings *-ment*,[3] *-isme*, *-age*,[4] *-acle*, *-ège*, *-ème*.
(*e*) Compounds in which the first element is verbal : *un essuie-main*; *le porte-manteau.*

Feminine

(*a*) Female persons and animals.
(*b*) Festivals, arts, trades, sciences, abstract nouns.[5]
(*c*) Most nouns ending in mute *-e*,[6] and *-son*.[7]
(*d*) Nouns ending in *-ion, té, tié.*

[1] Feminine are *la sentinelle*, sentry ; *la recrue*, recruit ; *la personne*, person.
[2] Many animals have only one gender, regardless of sex : *un éléphant*, *une girafe*, *un cheval*, *une souris* (mouse), etc.
[3] except *la jument*, mare.
[4] *-age* is not a suffix in *la page*, *la cage*, *la plage*, etc.

[5] exceptions : *le courage, le bonheur, le malheur, un honneur.*
[6] but many masculines also : *le livre, le beurre, le silence, un arbre, un arbuste* (shrub), *le parapluie, le Danube, le Rhône, le Mexique, le musée, le lycée* and others.
[7] but *le poisson*, fish ; *le buisson*, bush ; *le poison*, poison.

7. *Different meaning according to gender*

un aide, assistant	*une aide*, female assistant ; assistance
le crêpe, crape	*la crêpe*, pancake
le critique, critic	*la critique*, criticism
le livre, book	*la livre*, pound

le manche, handle	*la manche*, sleeve ; *La Manche*, English Channel
le poêle, stove	*la poêle*, frying pan
le poste, position, station, wireless set	*la poste*, post office
le tour, tour ; trick	*la tour*, tower
le vapeur, steamer	*la vapeur*, steam
le voile, veil	*la voile*, sail

8. *Female Beings*

Most nouns denoting males have corresponding feminine nouns, which should be ascertained from a dictionary. Here are a few examples :

un ami	*une amie*
un élève	*une élève*
un acteur	*une actrice*
le baigneur	*la baigneuse*
le nègre	*la négresse*
un ouvrier	*une ouvrière*
le chien	*la chienne*
le chat	*la chatte*

Some feminines are expressed by entirely different words, e.g. *le coq, la poule* ; *le cerf* (stag), *la biche* ; *le dindon* (turkey-cock), *la dinde*, etc.

9. PLURAL

Add *-s* to the singular, except to nouns ending in *-s*, *-x*, *-z*. Nouns ending in *au, eau,* or *eu*[1] add *-x* ; also *le bijou(x), le chou(x), le pou(x), le genou(x), le caillou(x), le hibou(x), le joujou(x).* Nouns ending in *-al* change this ending to *-aux.*[2]

Irregular : *monsieur, messieurs* ; *madame, mesdames* ; *mademoiselle, mesdemoiselles* ; *l'œil, les yeux* ; *le travail, les travaux* ; *le vitrail* (stained-glass window), *les vitraux.*

The formation of the plural of compound nouns is complicated

[1] except *le pneu(s).*   [2] *le bal, le carnival, le festival* add *-s.*

and should be ascertained in each case from a dictionary. Here are a few examples :

le grand-père	*les grands-pères*
le timbre-poste	*les timbres-poste*
un hors-d'œuvre	*des hors-d'œuvre*
le tire-bouchon	*les tire-bouchons*
le verre-à-vin	*les verres-à-vin*

THE ADJECTIVE

10. AGREEMENT

The adjective agrees in gender and number with the noun.

11. FEMININE

-e added to the masculine ; no change if the masculine ends in *-e* mute.

Adjectives ending in *-f*	change it into *-ve*	*actif, active*
Adjectives ending in *-g*	change it into *-gue*	*long, longue*
Adjectives ending in *-x*	change it into *-se*	*heureux, heureuse*
Adjectives ending in *-anc*	change it into *-anche*	*blanc, blanche*

Adjectives ending in *-l, -n, -s, -t* double this letter and add *-e* : *cruel, cruelle* ; *bon, bonne* ; *gros* ; *grosse* ; *sot, sotte.*

Irregular :

MASCULINE	FEMININE	
beau (bel)	*belle*	beautiful
vieux (vieil)	*vieille*	old
nouveau (nouvel)	*nouvelle*	new
fou (fol)	*folle*	mad
mou (mol)	*molle*	soft
ce (cet)	*cette*	this

The forms in brackets are used before a masculine noun beginning with a vowel or *h* mute.

12. PLURAL

The same rules apply as to the plural of nouns (see Section 9).

Exceptions : ending in *-eu*, but not adding *-x* : *bleu(s)*
                     ending in *-al*, but not changing to *-aux* :
                     naval(s), final(s), fatal(s)

13. POSITION

(a) Adjectives usually follow the noun, except :
Numerals, indefinite adjectives (*chaque, quelques, plusieurs,* etc.),
and the adjectives *grand*[1]—*petit* (*moindre*) ; *jeune*—*vieux* ;
long—*court* ; *bon* (*meilleur*)—*mauvais* (*pire*) ; *beau, joli, gentil,
sot, méchant, vilain, gros, haut*
but these follow the noun when they are modified, except by
short words such as *si, très, bien, plus, moins, assez, aussi.*

Une très longue rue. Une rue longue de 3 *kilomètres.*

[1] only in the sense of " great " ; *grand* follows the noun when it means "tall".

(b) When two adjectives qualify the same noun both may precede :
une belle petite fille

or one may precede and the other follow :
une petite fille intelligente

or two may follow, in which case they are linked by *et* :
une petite fille intelligente et instruite.

(c) Some adjectives have different meanings according to whether
they are placed before or after the noun :

un ancien soldat, a former soldier (i.e. an ex-serviceman)	*la ville ancienne,* the old city
un brave homme, a good chap	*un homme brave,* a brave man
certaines raisons (some)	*une chose certaine* (beyond doubt)
un cher ami, a dear friend	*une robe chère* (expensive)
différentes raisons (various)	*raisons différentes* (different)
un maigre repas, (a poor meal)	*un repas maigre* (meatless)
un nouveau sac (another)[1]	*un sac nouveau* (new fashion)[1]
un pauvre homme (unfortunate)	*un homme pauvre* (poor)
sa propre maison (his or her own)	*une maison propre* (clean)
un honnête homme (decent)	*un homme honnête* (honest)

These adjectives follow when used in their literal sense (brave,
honest, certain, etc.) and precede when used figuratively. Even
adjectives which normally follow the noun may be used figuratively and precede it, e.g. *une rue étroite* (" narrow " used in its
literal meaning), *une étroite amitié* (" narrow " used figuratively).

[1] *un sac neuf,* a new (i.e. unused) handbag.

It is not possible to give hard and fast rules about the position of adjectives as almost any adjective may be found in either position. A great number of finer shades in meaning and emphasis may be expressed through the position of the adjective in a way which can be appreciated only after great familiarity with the language.

(*d*) Some adjectives have a fixed position in certain expressions, which are best learned as they occur. Here are a few examples :

le moyen âge	the Middle Ages[1]
la terre sainte	the Holy Land
le Saint-Siège	the Holy See
la prochaine fois	next time
l'année prochaine	next year

[1] A middle-aged man is *un homme d'âge moyen.*

THE ADVERB

14. Adverbs derived from adjectives add *-ment* to the feminine singular : *premièrement, doucement, soigneusement.* Those ending in a vowel add *-ment* to the masculine : *absolument, poliment.* Some change *-e* into *-é* : *énormément, précisément, conformément.* The adjective endings *-ent* and *-ant* become *-emment* and *-amment* (*évidemment, différemment*, etc.) : except *lent* and *présent*, which form their adverbs in the normal way : *lentement, présentement.* The adverbs corresponding to *bref* (short) and *gentil* (nice) are *brièvement* and *gentiment.*

15. The adverbs corresponding to *bon* and *mauvais* are *bien* and *mal.*

In the spoken language *bien* and *mal* are often used as adjectives :

> *C'est bien. Ce n'est pas mal. On est bien*[1] *(mal) ici.*

The following examples show some of the adverbial uses of *bien* and *mal* :

> *Vous parlez joliment bien* (extremely well)
> *J'aime bien y aller* (emphasis)
> *C'est bien amusant* (very)

[1] comfortable.

Est-ce bien lui ? (really)
Je l'ai fait bien des fois (many)
J'ai mal dormi (badly)
Se trouver mal (to faint)
Se sentir mal (to feel ill)
C'est mal de battre ton frère (it is wicked)
Il a pas mal voyagé (he has travelled a good deal)
Elle a pas mal travaillé (she has worked rather well)

16. In certain expressions adjectives are used as adverbs :

sentir bon (mauvais)	to smell good (bad)
parler haut (bas)	to speak loudly (softly)
coûter (acheter, vendre) cher	to be (buy, sell) dear
s'arrêter court	to stop short
tenir ferme	to stand fast
travailler dur	to work hard

17. *Bientôt* and *beaucoup* cannot be qualified by other adverbs : *si tôt*, so soon ; *trop tôt*, too soon ; *trop*, too much ; *bien meilleur*, much better ; *tant*, so much.

18. POSITION

It is not possible to give hard and fast rules about the position of adverbs as great varieties of meaning and emphasis can be expressed by their different positions in a sentence.

The following examples indicate the normal position.

1. *Il parle couramment le français.*
2. *Il a bien parlé.*
3. *Il a parlé assez longtemps.*
4. *Il faut parler plus lentement.*
5. *Je l'ai vu hier.*
6. *Je vais le faire ici.*

The adverb follows a simple verb (example 1). When the verb has a compound form, a short adverb follows the auxiliary (example 2), a long one the past participle or infinitive (examples 3 and 4). Adverbs of place and *tôt, tard, hier, demain, aujourd'hui* follow the past participle or infinitive (examples 5 and 6).

19. *Marseille est plus grand que Lyon.*
Londres est la plus grande ville du monde.

The comparative of adjectives is formed with *plus*, the superlative with *le (la, les) plus.*

Irregular are :

bon(ne)	*meilleur(e)*	*le (la) meilleur(e)*
mauvais(e)	*pire*[1]	*le (la) pire*[2]
petit(e)	*moindre*[3]	*le (la) moindre*[3]

[1] or *plus mauvais.*
[2] or *le plus mauvais.*
[3] in the sense of "less," "least ";
otherwise *plus petit, le plus petit.*

20. Adverbs are compared like adjectives, except that *le* is invariable.

bien	*mieux*	*le mieux*
peu	*moins*	*le moins*
beaucoup	*plus*[1]	*le plus*
bientôt	*plus tôt*	*le plus tôt*

[1] or *davantage.*

NOTES

(a) *Il est meilleur que son ami.* He is better (in character) than his friend.
Il est mieux. He is better looking.

(b) In *bon marché* the adjective and not the adverb is used (*marché* is a noun). The comparative is *meilleur marché*, the superlative *le meilleur marché.*
This is the cheapest dress, *C'est la robe le meilleur marché* (the noun *marché* is qualified here).

(c) The comparison of *mal* (badly) is regular : *plus mal, le plus mal.* There is also an alternative irregular form (*pis, le pis*) which is little used, except in the expression *tant pis*, "so much the worse" (the opposite of *tant mieux*).

(d) *Il est plus intelligent que son frère.*
Votre valise est plus lourde que la mienne.
Cela coûtera plus de mille francs.
C'est plus de trente kilos.
" Than " in comparisons is *que.*
" Than " before price or measurement is *de.*

21. *Voilà vos gants.* *Ce ne sont pas les miens* (not mine).
  (possessive adjective) (possessive pronoun)

Les miens stands for *mes gants*. A possessive pronoun replaces a possessive adjective + noun. There is a possessive pronoun corresponding to each possessive adjective.

22. POSSESSIVE ADJECTIVES

MASCULINE	FEMININE	PLURAL	
mon	ma	mes	my
ton	ta	tes	thy
son	sa	ses	his, her, its
	notre	nos	our
	votre	vos	your
	leur	leurs	their

NOTES

(*a*) The gender depends not on the possessor but on the thing possessed :

Ma femme a vu son frère. My wife has seen her brother.
Ils ont vu sa mère. They saw his mother.

(*b*) Before a vowel or *h* mute, *mon, ton, son* are used instead of *ma, ta, sa* to avoid the clash of two vowels :

mon amie (f.), my friend *son honneur* (m.), his (or her) honour.
BUT *sa honte*, his (or her) shame, i.e. the *h* here is *h aspiré*.

23. POSSESSIVE PRONOUNS

MASC. SING.	FEM. SING.	MASC. PL.	FEM. PL.	
le mien	la mienne	les miens	les miennes	mine
le tien	la tienne	les tiens	les tiennes	thine
le sien	la sienne	les siens	les siennes	his, her, its
le nôtre	la nôtre	les nôtres		ours
le vôtre	la vôtre	les vôtres		yours
le leur	la leur	les leurs		theirs

In the spoken language possession is frequently expressed by *à* followed by one of the stressed pronouns.

Ce livre est à moi (à lui, à elle, etc.) *Ces allumettes sont à vous.*

PERSONAL PRONOUNS

	UNSTRESSED		*STRESSED*
SUBJECT	DIRECT OBJECT	INDIRECT OBJECT	SUBJECT AND OBJECT[2]
je	*me*	*me*	*moi*
tu	*te*	*te*	*toi*
il	*le (l')*	*lui, y*[1]	*lui*
elle	*la (l')*		*elle*
nous	*nous*	*nous*	*nous*
vous	*vous*	*vous*	*vous*
ils	*les*	*leur, y*[1]	*eux*
elles			*elles*

[1] referring to things only.　　　　[2] as indirect object preceded by *à* or other prepositions.

25. Y *and* EN

y, in addition to being an adverb meaning "there", is used as a pronoun replacing nouns preceded by *à, en, dans, sous, sur*, etc.

en, in addition to being an adverb meaning "from there", is used as a pronoun replacing nouns preceded by *de*.

26. USE OF STRESSED PRONOUNS

(*a*) For emphasis. *Moi, je n'aime pas ça.*
(*b*) After a preposition. *Allez avec lui.*
(*c*) After *c'est, ce sont. C'est toi? — Ce sont eux.*
(*d*) When there is no verb. *Qui est là? — Moi.*
(*e*) In comparisons. *Tu es plus grand que lui.*
(*f*) After *ne . . . que. Je n'aime que toi.*
(*g*) Before a relative pronoun. *Moi qui ne sais rien de tout cela.*
(*h*) When a verb has a double subject. *Ton frère et toi, vous viendrez avec nous.*

NOTES

(*a*) Stressed forms are used in referring to persons only. For things use *ceci, cela* or any of the adverbs given below under (*d*).

　　Je ne peux pas travailler avec cela.

(*b*) The stressed forms of the 1st and 2nd person are additional to the unstressed forms (examples (*a*) and (*h*) above).

(c) *Nous* and *vous* can be emphasised by *autres*.
   Nous autres Anglais. We English.

(d) *en* and *y* are unstressed pronouns. For emphasis use :
   for *en* : *de la* (from there), *quelques-uns* (some), *ne . . . aucun*
   (not any).
   for *y* : *là, là-bas, là-haut, par là, dedans, dessus, dessous*, etc.

27. USE OF UNSTRESSED PRONOUNS

They can be used only with verbs, which they precede with
two exceptions :

(a) Subject pronouns in questions : *Venez-vous ?*

(b) Object pronouns in the Affirmative Imperative : *Donnez-le-lui.*

Two unstressed pronouns may be combined in the following order :

1.	2.	3.		
me	le	lui	y	en
te	la	leur		
se	les			
nous				
vous				

Any pronoun in the first group may be combined with any in the
second group, or any of the second group with any of the third. Any
pronoun in the three groups may be followed by either *y* or *en*.
If *y* and *en* are combined as in *il y en a, y* precedes *en*.

Other combinations of pronouns, e.g. two of the first group or one
of the first group and one of the third, are not possible in front of the
verb. Such combinations are made by placing one pronoun in
front of the verb in its unstressed form and the other in the stressed
form preceded by *à* after the verb.

Je vous présenterai à elle. I shall introduce you to her.

In the Affirmative Imperative these pronouns follow the verb
in the same order, but *me* and *te* are replaced by *moi* and *toi* and go
to the end, except when used with *y* or *en*.

> *Donnez-le-moi.* Give it to me.
> *Donnez-m'en.* Give me some.
> BUT *Ne me le donnez pas.* Don't give it to me.

Êtes-vous le nouveau locataire ?	Are you the new tenant ?
Je le suis or *C'est moi.*	I am.
Êtes-vous la mère de cet enfant ?	Are you the mother of this child ?
Je le¹ suis or *C'est moi.*	I am.

¹ although *la* is grammatically correct, *le* is more usual.

29. REFLEXIVE AND EMPHATIC PRONOUNS

REFLEXIVE	EMPHATIC	
me	*moi-même*	myself
te	*toi-même*	thyself
se	*lui-même*	himself
	elle-même	herself
nous	*nous-mêmes*	ourselves
vous	*vous-même(s)*	yourself, yourselves
se	*eux-mêmes*	themselves
	elles-mêmes	

(*a*) The reflexive pronouns are used with certain verbs (see reflexive verbs, Section **67**). They are unstressed and precede the verb, except in the Affirmative Imperative, where *te* becomes *toi*.

> *Assieds-toi.* Sit down.

(*b*) The emphatic pronouns are used in the same way as the stressed forms of personal pronouns, which they further strengthen by the adjunction of *même*.

> *Je l'ai fait moi-même.* I did it myself.
> *Vous n'avez que vous-même à blâmer.* You have only yourself to blame.

(*c*) The third person singular reflexive has a special stressed form *soi*, which is used with an impersonal subject such as *on, chacun, cela*, etc.

> *On est bien chez soi.* One feels good at home.
> *Chacun pour soi.* Everyone for himself.
> *Cela va de soi.* That goes without saying.

Note also the expression *soi-disant*, so-called.

(*d*) *Tout seul* is the equivalent to " oneself " in *vivre tout seul*, to live by oneself ; *étudier tout seul,* to study by oneself; *parler tout seul,* to talk to oneself, etc.

(e) The reflexive pronouns are also used to express a reciprocal action :

> *Nous nous sommes regardés.* We looked at each other.
> *Ils se sont rencontrés.* They met each other.
> *Vous vous connaissez ?* You know each other ?

" Each other " is translated by *l'un l'autre* in cases of ambiguity, and when " each other " is used after an adjective :

> *Ils s'admirent l'un l'autre.* They admire each other.
> *Ils sont très bons l'un pour l'autre.* They are very good for each other.

DEMONSTRATIVES

30. " This " or " that " followed by a masculine noun   *ce*
" This " or " that " followed by a feminine noun   *cette*
" This " or " that " followed by a masculine noun commencing
     with a vowel or *h* mute   *cet*
" These " or " those " followed by a noun   *ces*

For emphasising the difference between the nearer and the less near *-ci* may be added for " this " and " these ", and *-là* for " that " and " those "

31.
" This one ", when replacing a masculine noun   *celui-ci*
" This one ", when replacing a feminine noun   *celle-ci*
" That one ", when replacing a masculine noun   *celui-là*
" That one ", when replacing a feminine noun   *celle-là*
" These ", when replacing masculine nouns   *ceux-ci*
" These ", when replacing feminine nouns   *celles-ci*
" Those ", when replacing masculine nouns   *ceux-là*
" Those ", when replacing feminine nouns   *celles-là*
" The one (he) who ", referring to a masculine noun ⎫
" The one (that) which ", referring to a masculine noun ⎬ *celui qui*
" The one (she) who ", referring to a feminine noun ⎫
" The one (that) which ", referring to a feminine noun ⎬ *celle qui*
" Those who " (or " which "), referring to masculine nouns   *ceux qui*
" Those who " (or "which"), referring to feminine nouns   *celles qui*

32. *Celui, celle, ceux, celles* followed by *de* often correspond to the English possessive case :

Voici votre chapeau et celui de votre ami (your friend's).

Je porte une robe bleue et celle de ma sœur est verte (my sister's).

33. *Ceci* and *cela* are used with reference to facts, ideas and things which have not yet been mentioned and therefore can have no gender.

In conversation *cela* is often shortened to *ça*. It may be added to interrogatives for emphasis. *Je l'ai trouvé.—Où ça ?*

Voici (for " this is " and " these are ") and *voilà* (for " that is " and " those are ") are more usual than *ceci est, cela est*, etc.

For emphasis *ceci* and *cela* may be split into *ce . . . ici*, and *ce . . . là. C'est ici votre place. Ce sont là vos affaires.*

34. *Ce* (in the combinations *c'est, ce sont, c'était, ç'a été, ce sera*, etc.) is the most frequent French equivalent for " he ", " she ", " it ", " they ".

Compare the following :

C'est	*vrai.*	*Il est*	*midi.*
C'était	*facile.*		*cinq heures.*
	un professeur.		*professeur.*
	mon parapluie.		
	ma cousine.	*Il fait*	*beau (mauvais).*
	à moi.		*froid (chaud).*
	à lui.		*jour (nuit).*
	à elle.		*du soleil (du vent*, etc.).

Ce sont	*des oranges.*	*Elles ne sont pas mûres.*
C'étaient	*mes amis.*	*Ils sont partis.*
Qui est cet homme ?		*Que fait-il ?*
C'est mon oncle.		*Il est musicien.*
Qui est cette femme ?		*Que fait-elle ?*
C'est ma cousine.		*Elle est infirmière.*
Est-ce difficile ?		*Est-il difficile de faire cela ?*
Non, c'est facile.		*Mais non. Il est facile de le faire.*
Votre frère est-il parti ?		*Il est possible qu'il soit parti.*

The difference between *ce* and *il* (or *elle*) in the above examples can best be realised when translating them into English. In the first column we can say " that " instead of " he ", " she " or " those " for " they ", whereas in the second column *il(s)* or *elle(s)* cannot be translated by " that " or " those ".

Another use of *ce*, preceded by a comma, is to represent in the main clause a preceding dependent clause or an infinitive.

Ce qui est certain, c'est qu'il faut partir.
Vouloir, c'est pouvoir. Where there's a will, there's a way.

For the use of *c'est* and *ce sont* for emphasising a particular word in a sentence see Section **111**. For *ce qui*, etc. see Section **42**.

INTERROGATIVES

35.

qui est-ce qui
or   *qui*   } who (subject)

qui est-ce que
or   *qui*   } whom (object)

qu'est-ce qui   what (subject)

qu'est-ce que c'est que
or   *qu'est-ce que*   } what (object)
or   *que*

The longer forms are stressed, the shorter ones unstressed.

36. Prepositions are followed by *qui* when referring to persons, by *quoi* when referring to things.

> *À qui parlez-vous?* Whom are you speaking to?
> *De qui parlez-vous?* Whom are you speaking of?
> *De quoi parlez-vous?* What are you speaking of?
> *À quoi cela sert-il?* What is this for?

37. *Quoi* is also used when the verb is omitted :

> *Quoi de nouveau?* What is the news?
> *Quoi faire?*[1] What shall I (or we) do?

It is also used as a kind of noun equivalent in the following expressions :

Il a de quoi vivre. He has enough to live on.
Donnez-moi de quoi écrire. Give me something to write with.

[1] also *Que faire ?*

Il n'y a pas de quoi. Don't mention it (in answer to an apology).
Un je ne sais quoi. An indefinable something.

38. *Que* is also used in exclamations :

Que c'est beau ! How beautiful it is !

39.

" Which " (or " what ") followed by a masculine noun, singular	*quel*
" Which " (or " what ") followed by a feminine noun, singular	*quelle*
" Which " (or " what ") followed by a masculine noun, plural	*quels*
" Which " (or " what ") followed by a femir.ine noun, plural	*quelles*
" Which one ", replacing a masculine noun, singular	*lequel*
" Which one ", replacing a feminine noun, singular	*laquelle*
" Which ", replacing masculine nouns, plural	*lesquels*
" Which ", replacing feminine nouns, plural	*lesquelles*

de and *à* are combined with *lequel, lesquels* and *lesquelles* to form
duquel, auquel, desquels, auxquels, desquelles, auxquelles.

RELATIVE PRONOUNS

40. *L'homme qui parle est le gérant.*
The man who is speaking is the manager.
Le film que j'ai vu hier . . . The film I saw yesterday . . .
La dame dont vous connaissez le mari . . .
The lady whose husband you know . . .

Qui = who, that, which (subject)
Que = whom, that, which (object)
Dont = whose, of whom, of which, from whom, from which

In English the relative pronoun is often omitted. It cannot be
omitted in French.

La jeune fille à qui j'ai parlé . . . The girl I spoke to . . .

41. *Le stylo avec lequel vous écrivez n'est pas le vôtre.*
The fountain-pen you are writing with is not yours.
L'endroit dont vous parlez . . . The place you are speaking of . . .
Les magasins dans lesquels nous avons fait nos achats . . .
The shops in which we did our shopping . . .

Lequel, laquelle, lesquels, lesquelles, etc., although they can also refer to persons, are chiefly used with reference to things, particularly after a preposition.

Dont may refer to either persons or things.

De qui is a less common equivalent of *dont* when referring to persons.

Duquel, de laquelle, desquels, desquelles are less common equivalents of *dont* when referring to things.

These forms must be used, however, when the relative clause begins with a preposition, e.g.

> *Voici l'homme dans la maison de qui je demeure.*
> Here is thè man in whose house I live.

The examples given above show the order of words in conjunction with *dont*. Note that the noun following *dont* is preceded by the definite article.

42. *Dites-moi ce qui s'est passé.* Tell me what has happened.
Dites-moi ce que vous avez fait hier.
Tell me what you did yesterday.

Ce qui = " what ", when the subject of a relative clause.
Ce que = " what ", when the object of a relative clause.

43. *Celui qui, celle qui* are used for " he who ", " she who " ; " the one who " ; " everyone who ".
Ceux qui, celles qui are used for " those who ".

44. *La ville d'où je viens.* The town from which I come.
À l'heure où nous nous couchions.
At the time when (at which) we went to bed.
Le jour que je suis arrivé. The day I arrived.

Où is used as a relative adverb of place, and both *où* and *que* as relative adverbs of time.

NUMERALS

45. CARDINAL NUMBERS

1–20 un(e), deux, trois, quatre, cinq, six, sept, huit, neuf, dix, onze, douze, treize, quatorze, quinze, seize, dix-sept, dix-huit, dix-neuf, vingt. 21 vingt et un, 22 vingt-deux, 23 vingt-trois, *etc.*

30 trente, 31 trente et un, 32 trente-deux, *etc.* 40 quarante, 50 cinquante, 60 soixante, 70 soixante-dix, 71 soixante et onze, 72 soixante-douze, 73 soixante-treize, *etc.* 80 quatre-vingts, 81 quatre-vingt-un, 82 quatre-vingt-deux, *etc.* 90 quatre-vingt-dix, 91 quatre-vingt-onze, 92 quatre-vingt-douze, *etc.* 99 quatre-vingt-dix-neuf, 100 cent, 101 cent un, 102 cent deux, 121 cent vingt et un, 200 deux cents, 1000 mille, 1001 mille un, 2000 deux mille. 0 zéro.

Mille francs = 1000 francs.
Quatre-vingts livres = 80 pounds.
Cinq cents dollars = 500 dollars.
Huit millions trois cent mille habitants = 8,300,000 inhabitants.
Vingt and *cent*, but not *mille*[1], take plural -s when not followed by another numeral. *Million* always takes -s in plural.

Dates are read as follows : in 1958, *en dix-neuf cent cinquante-huit* or *en mil neuf cent cinquante-huit.* The form *mil* is used only in dates.

On June 21st = *le vingt et un juin.*
On July 11th = *le onze juillet* (there is no elision of the *e* in *le* before a numeral).

[1] When *mille* means a mile it takes the -s in plural.

46. ORDINAL NUMBERS

Premier, deuxième, troisième, quatrième, cinquième, sixième, septième, huitième, neuvième, dixième, onzième . . . dix-septième . . . vingtième, vingt et unième, vingt-deuxième . . . centième . . . millième, *etc.*

2nd is also *second*, but its use is almost entirely confined to certain set phrases : *seconde classe ; le second étage* (the second floor) ; *en second lieu* (secondly).[2]

Only *premier* and *second* have special feminine forms : *première, seconde.*

Cardinal and not ordinal numbers are used, with the exception of *premier*, (a) in dates ; (b) in titles ; (c) in references to a page, volume, chapter, or verse : *Louis Quatorze ; à la page trente-cinq ; au chapitre trois du livre deux ; le premier mars.*

[2] *En premier lieu*, firstly ; *premièrement, deuxièmement*, etc., are also used.

47. FRACTIONS

½ la moitié ; ⅓ le tiers, ¼ le quart ; ⅕ le cinquième ; ⅙ le sixième,
etc. ¾ les trois quarts ; ⁷⁄₁₀ les sept dixièmes.

The words expressing fractions are nouns. The only fractional
adjective is *demi*, half ; it agrees when it follows a noun : *une
heure et demie* ; but is invariable before a noun : *une demi-heure.*

Donnez-moi la moitié de cette orange. Give me half of this orange.

48. APPROXIMATE NUMBERS

Une dizaine, about ten ; *une vingtaine,* about twenty, etc.;
des centaines de . . ., hundreds of . . .; *des milliers de . . .,* thousands
of . . .; *une douzaine,* a dozen ; *une quinzaine,* a fortnight.

49. ONCE, TWICE, ETC.

Une fois, deux fois, trois fois, etc. *Quelquefois,* sometimes.

INDEFINITE ADJECTIVES, ADVERBS AND PRONOUNS

50. *On,* " one, someone ", is often used where English prefers
" we ", " you ", " they ", " people " or the passive.

Où peut-on trouver quelque chose comme ceci ?
Where can I (we) find something like this ?

On dîne à sept heures. We (they) have dinner at seven.

To avoid a clash of vowels *l'on* is often used after *et, où, ou, si, que.*

51. *Même,* as an adjective = the same; as an adverb = even
Jean m'a dit la même chose. Elle porte les mêmes lunettes que moi.
Elle ne m'a pas même dit au revoir. She did not even say good-bye.
Il arrive ce jour même. He arrives this very day.

52. *Tel, telle,* such (adjective). *Tellement* (adverb).

Je n'ai jamais vu une telle fleur. J'ai tellement faim.
Monsieur un tel ; Madame une telle. Mr. (Mrs.) So-and-so.

Tel cannot be used emphatically. *Pareil* (=similar) is used
instead.

A-t-on jamais vu une chose pareille !

123

53. *Quelque*, some ; *quelques*, some, a few ; *quelque chose*, something, anything.

> *C'est à quelques kilomètres d'ici.*
> *Y a-t-il quelque chose à manger?*

Quelque part, somewhere; *nulle part*, nowhere ; *autre part* (or *ailleurs*) somewhere else.

> *Il doit être quelque part.*
> *Je ne peux le trouver nulle part.*
> *Cherchez autre part.*
> *Quelqu'un(e)*, someone, somebody.
> *Il y a quelqu'un dans le jardin.* There is someone in the garden.

Quelqu'un may be a male or a female. *Quelqu'une* is used only before a partitive noun :

Quelqu'une de ses amies. One of her friends.

Quelques-uns, quelques-unes, some (pronouns replacing *quelques* + noun).

Quelques-unes de ces pommes ne sont pas mûres.
Some of these apples are not ripe.

54. *Aucun(e)* (usually with *ne* preceding the verb), not any, none.

> *Il ne connaît aucun de ces endroits.*
> He does not know any of these places.

> *Aucun de vous n'est arrivé à temps.*
> None of you has arrived in time.

> *Avez-vous de ses nouvelles?—Aucune.*
> Any news of him (or her)?—None.

55. *Chaque*, each (adjective), *chacun(e)*, each one (pronoun).

Chacun de mes fils et chacune de mes filles fait son lit chaque matin.

56. *Tout, toute, tous,*[1] *toutes*, all (adjective).

Tout mon argent. Toute ma garde-robe. Tous mes livres. Toutes mes cravates.

Tout le monde.[2] Everybody.

[1] *s* silent.　　　　　　　　　　[2] the whole world = *le monde entier*.

Tout, everything (pronoun) ; plural *tous*[3], *toutes*, all.

> *Tout va bien. Ils sont tous en bonne santé.*
> *Elles sont toutes sorties.*

Tout, quite, completely (adverb).

Although *tout* is an adverb and as such should be invariable, -*e* is added before a feminine adjective beginning with a consonant :

> *Elle est toute charmante.*
> *C'est tout laine.* It is all wool.
> *C'est tout autre chose.* That's quite another matter.
> *Tout à fait.* Entirely.
> *Tout de suite.* At once.
> *Tout de même.* All the same.
> *Tout à l'heure.* A moment ago. Just now. In a moment.
> *Tout à vous. Tout à toi* (in closing a letter). Yours sincerely.

[3] *s* sounded.

57.

N'importe.	It does not matter.
Peu importe.	It matters little.
Qu'importe?	What does it matter?
N'importe qui.	Anyone, anybody.
N'importe quoi.	Anything.
N'importe où.	Anywhere.
N'importe quand.	Anytime.
N'importe comment.	Anyway. No matter how.

THE VERB

58. French verbs can be divided into four groups according to the endings of the infinitive.

1st conjugation ending in -*er*	*trouver*, to find
2nd conjugation ending in -*ir*	*finir*, to finish
3rd conjugation ending in -*re*	*vendre*, to sell
4th conjugation ending in -*oir*	*recevoir*, to receive

If we cut off the ending from the infinitive we obtain the stem of the verb, e.g. *trouv-, fin-, vend-*. Those of the 4th conjugation are irregular and modify their stem. Some of the forms in the 2nd conjugation add an extra syllable, -*iss*-.

The essential parts of the verb which must be known for all practical purposes are :

59. FORMED BY ENDINGS TO THE STEM

(a) THE PRESENT PARTICIPLE : *trouvant*, finding ; *finissant*, finishing ; *vendant*, selling ; *recevant*, receiving. Preceded by *en* it is used in the sense of " while (by, on) doing something ". *Je me suis endormi en lisant.* I fell asleep reading.

(b) THE PRESENT (I find, I am finding[1]) : *je trouve, je finis, je vends, je reçois.*

(c) THE IMPERFECT (I was finding, finishing, etc.[2]) : *je trouvais, je finissais, je vendais, je recevais.*

(d) THE PRESENT SUBJUNCTIVE : See Section **72.**

(e) THE IMPERATIVE : *trouvez*, find ; *finissez*, finish ; *vendez*, sell ; *recevez*, receive. *trouvons*, let us find ; *finissons*, let us finish, etc. The familiar form of the Imperative is identical with the second person singular of the Present Indicative, except that those of the -*er* conjugation drop the final -*s* (*trouve, vends, finis, reçois*). The Imperative of *aller* is *va*[3] (*allons, allez*); of *savoir* : *sache* (*sachons, sachez*) ; of *vouloir* : *veuille, veuillez.*[4]

(f) THE PAST PARTICIPLE : *trouvé*, found ; *fini*, finished ; *vendu*, sold ; *reçu*, received.

[1] also to express what started in the past and is still continuing. *Nous sommes ici depuis mardi*, we have been here since Tuesday.
[2] or "I used to find, finish," etc. and generally describing what was going on when something else happened.
[3] *s* is retained in *vas-y*, go there.
[4] when used in the sense of " will you please", but *veux, voulons, voulez* in the sense of " exert your will "

69. FORMED BY ENDINGS TO THE INFINITIVE

(the 3rd conjugation drops the final -*e*, the 4th conjugation changes the stem)

(a) THE FUTURE (I shall find, etc.) : *je trouverai, je finirai, je vendrai, je recevrai.*

(b) THE CONDITIONAL (I should find, etc.) : *je trouverais, je finirais, je vendrais, je recevrais.*

61. FORMED WITH THE AUXILIARY *avoir* (SOMETIMES *être*) AND THE PAST PARTICIPLE :

(*a*) THE PERFECT (I have found *or* I found) : *j'ai trouvé (fini, vendu, reçu)* ; *je suis venu (allé*, etc : see Section **65**).

(*b*) THE PLUPERFECT (I had found, etc.) : *j'avais trouvé (fini*, etc.): *j'étais venu (allé*, etc.).

(*c*) THE FUTURE PERFECT (I shall have found, etc.) : *j'aurai trouvé (fini*, etc.) ; *je serais venu (allé*, etc.).

(*d*) THE FUTURE PERFECT IN THE PAST (I should have found, etc.) : *j'aurais trouvé (fini*, etc.) ; *je serais venu (allé*, etc.).

(*e*) THE PERFECT OF THE SUBJUNCTIVE : See Section **72**.

62.   *Avoir* AND *Être*

INFINITIVE : *avoir*, to have	*être*, to be
PRESENT PARTICIPLE : *ayant*, having	*étant*, being
PAST PARTICIPLE : *eu*, had	*été*, been
IMPERATIVE : *aie* ⎫ have *ayez* ⎭	*sois* ⎫ be *soyez* ⎭
ayons, let us have	*soyons*, let us be
PRESENT : *j'ai, tu as, il a nous avons, vous avez, ils ont*	*je suis, tu es, il est nous sommes, vous êtes, ils sont*
IMPERFECT : *j'avais, tu avais*, etc.	*j'étais, tu étais*, etc.
FUTURE : *j'aurai, tu auras*, etc.	*je serai, tu seras*, etc.
CONDITIONAL : *j'aurais, tu aurais*, etc.	*je serais, tu serais*, etc.
PERFECT : *j'ai eu, tu as eu*, etc.	*j'ai été, tu as été*, etc.
PRESENT SUBJUNCTIVE : *j'aie, tu aies, il ait, nous ayons, vous ayez, ils aient*	*je sois, tu sois, il soit, nous soyons, vous soyez, ils soient*
IMPERFECT SUBJUNCTIVE : *j'eusse, tu eusses, il eût, nous eussions, vous eussiez, ils eussent*	*je fusse, tu fusses, il fût, nous fussions, vous fussiez, ils fussent*
PAST DEFINITE : *j'eus, tu eus, il eut, nous eûmes, vous eûtes, ils eurent*	*je fus, tu fus, il fut, nous fûmes, vous fûtes, ils furent*
PAST ANTERIOR : *j'eus eu*, etc.	*j'eus été*, etc.

63.

TABLE OF CONJUGATIONS

	PRESENT TENSE -er -ir -re -oir	FUTURE	IMPERFECT AND CONDITIONAL	PAST DEFINITE* -er / -ir and -re -oir	SUBJUNCTIVE PRESENT -er, -ir and -re	SUBJUNCTIVE IMPERFECT* -er / -ir and -re / -oir
je (j')	-e -is -s -s	-ai	-ais	-ai -is -us	-e	-asse -isse -usse
tu	-es -is -s -s	-as	-ais	-as -is -us	-es	-asses -isses -usses
il, elle	-e -it - -t	-a	-ait	-a -it -ut	-e	-ât -ît -ût
nous	-ons	-ons	-ions	-âmes -îmes -ûmes	-ions	-assions -issions -ussions
vous	-ez	-ez	-iez	-âtes -îtes -ûtes	-iez	-assiez -issiez -ussiez
ils, elles	-ent	-ont	-aient	-èrent -irent -urent	-ent	-assent -issent -ussent

PAST PARTICIPLE: -é -i -u -u

IMPERATIVE (familiar form): -e -is -s -s

NOTES (1) The endings given above are added to the stem of the verb (obtained by cutting off the ending of the Infinitive). The endings of the Future and Conditional are added to the Infinitive (those ending in -re drop the final e ; those ending in -oir modify this ending).

(2) The regular verbs of the -ir conjugation add an extra syllable -iss- in the Present tense, plural (*nous finissons. vous finissez, ils finissent*), and in all forms of the Imperfect (*je finissais*, etc.) and Subjunctive (*que je finisse*, etc.).

(3) The Perfect is formed with the auxiliary *avoir* (sometimes *être*, see Section **64**) and the past participle.

*Not used in the spoken language—see Section **65**.

64. FORMS NOT USED IN THE SPOKEN LANGUAGE:

(a) THE PAST DEFINITE is used in the written language to express what happened next. It is called Past Definite because it carries the action a definite step forward. In conversation and in informal letter-writing the Perfect is used instead of the Past Definite.[1]

(b) THE PAST ANTERIOR like the Past Definite is not used in conversation. It is formed by the Past Definite of *avoir* (or *être*) and the past participle. It expresses an action which was already completed when another action took place, and is replaced in the spoken language by the Pluperfect.

(c) THE IMPERFECT OF THE SUBJUNCTIVE } See Section **72.**
(d) THE PLUPERFECT OF THE SUBJUNCTIVE

[1] In some cases the use of this tense gives the verb a new meaning, e.g. *il fut jaloux*, he became jealous; *il sut*, he learned; *il eut*, he received; *il comprit*, he realised.

65. *Avoir* and *être* are used to form the compound tenses of verbs in conjunction with their past participles.

With *avoir* : Most verbs in the active voice.[1]

> *Je l'ai reçu(e).   Je les ai vu(e)s.   Je lui ai parlé.*

With *être* : (a)[2] *allé, venu, arrivé, parti, entré, sorti,*[3] *monté,*[3] *descendu,*[3] *resté, retourné, tombé, né, mort* and compounds of these such as *revenu, devenu, rentré,*[3] etc.

(b) Reflexive verbs.[1] (See Section **67.**)

(c) Verbs in the passive voice.[2] (See Section **66.**)

(d) The past participles of verbs normally conjugated with *avoir*, when used as adjectives.[2]
C'est fait. Elle est couchée. Je suis assis(e).

[1] The past participle agrees in gender and number with a preceding direct object. When no direct object precedes it remains unchanged.
[2] The past participle agrees in gender and number with the subject of the verb.
[3] When these verbs take a direct object they are used with avoir. *Il a sorti le chien*, he took the dog out. *Nous avons descendu les bagages*, we took (or brought) the luggage down.

66. THE PASSIVE VOICE is formed with *être* and the past participle.

INFINITIVE : *être trouvé (fini, vendu, reçu)*, to be found, being found, etc.

PRESENT : *je suis trouvé*, etc. I am (being) found, etc.

IMPERFECT : *j'étais trouvé.* I was (being) found, etc.
FUTURE : *je serai trouvé.* I shall be found, etc.
CONDITIONAL : *je serais trouvé.* I should be found, etc.
PERFECT : *j'ai été trouvé.* I have been found, etc.
PLUPERFECT : *j'avais été trouvé.* I had been found, etc.

The passive can be used in French only when the corresponding active form of the verb can take a direct object, e.g.

Active: *Une avalanche a détruit ce village.*
Passive: *Ce village a été détruit par une avalanche.*

The following active constructions are used in French instead of an English passive, frequently with *on* as the subject :

On m'a dit de venir ici. I was told to come here.
On le croyait mort. He was believed to be dead.
Sa réponse m'étonne. I am astonished at his answer.

Sometimes a reflexive verb corresponds to an English passive :

Cela ne se dit pas. That is not said.
Cela ne se fait pas. That is not done.
La tache ne se voit pas. The spot is not to be seen.
Comment ce mot s'écrit-il? How is this word spelt?
Je m'attends au pire. I am prepared for the worst.

67.   REFLEXIVE VERBS

Le coiffeur rase un client. The barber is shaving a customer.
Il se rase. He is shaving (himself).
Ma sœur lave le bébé. My sister is washing the baby.
Elle se lave. She is washing (herself).
Il arrête l'autobus. He stops the bus.
Il s'arrête devant l'école. He (*or* it) stops in front of the school.

Many verbs are reflexive in French which are not so in English. A list of reflexive verbs will be found in Section **113**. The pronouns used in connection with reflexive verbs are listed in Section **29**.

Distinguish between the following :

douter de,	to doubt	BUT *se douter de,*	to suspect
rappeler,	to remind	BUT *se rappeler de,*	to remember
tromper,	to deceive	BUT *se tromper de,*	to be mistaken in
changer,	to change (money, etc.)	BUT *se changer,*	to change (one's clothes)

68.

Compound verbs (like *apprendre, devenir, maintenir*, etc.) are not included in the following lists. They are conjugated like the corresponding non-compound verbs (*prendre, venir, tenir*, etc.).

IRREGULAR VERBS

IRREGULAR VERBS IN -er

Aller is the only irregular verb in -er. The others listed here have only some spelling variations from the regular norm.

INFINITIVE	PARTICIPLES	PRESENT INDICATIVE	IMPERFECT, PAST DEFINITE	FUTURE, CONDITIONAL	PRESENT SUBJUNCTIVE
(a) *aller*, to go	*allant* / *allé*	*vais, vas, va* / *allons, -ez, vont*	*allais* / *allai*	*irai* / *irais*	*aille*
(b) *envoyer*,[1] to send	*envoyant* / *envoyé*	*envoie, envoies, envoie* / *envoyons, -ez, -oient*	*envoyais* / *envoyai*	*enverrai* / *enverrais*	*envoie*
(c) *manger*,[2] to eat	*mangeant* / *mangé*	*mange, manges, mange* / *mangeons, -ez, -ent*	*mangeais* / *mangeai*	*mangerai* / *mangerais*	*mange*
(d) *appeler*,[3] to call	*appelant* / *appelé*	*appelle, appelles, appelle* / *appelons, -ez, appellent*	*appelais* / *appelai*	*appellerai* / *appellerais*	*appelle*
(e) *mener*,[4] to lead	*menant* / *mené*	*mène, mènes, mène* / *menons, -ez, mènent*	*menais* / *menai*	*mènerai* / *mènerais*	*mène*
(f) *espérer*,[5] to hope	*espérant* / *espéré*	*espère, espères, espère* / *espérons, -ez, espèrent*	*espérais* / *espérai*	*espérerai* / *espérerais*	*espère*

[1] Verbs ending in -*yer* change *y* into *i* before *e* mute, but those in -*ayer* may retain *ay* throughout.

[2] All verbs ending in -*ger* insert a mute *e* after the *g* whenever the next letter is *a* or *o*.

[3] Verbs ending in -*ler* and -*ter* double *l* and *t* before *e* mute. They do not double *t* and *l* but change *e* into *è* whenever the next syllable has *e* mute. Exceptions: *acheter*, to buy; *geler*, to freeze; and a few more. Future, *j'achète, tu achètes, il achète, nous achetons, vous achetez, ils achètent*. Future, *j'achèterai*, etc.

[4] Verbs (not under²) having *e* in their last syllable but one, take a grave accent over that *e* whenever the next syllable has *e* mute.

[5] Verbs having *é* in the last syllable but one change this into *è* when the next syllable has *e* mute (except in the Future and Conditional).

IRREGULAR VERBS IN -ir

(These do not take the extra syllable - iss -.)

INFINITIVE	PARTICIPLES	PRESENT INDICATIVE	IMPERFECT, PAST DEFINITE	FUTURE, CONDITIONAL	PRESENT SUBJUNCTIVE
(a) dormir,[1] to sleep	dormant, dormi	dors, dors, dort, dormons, -ez, -ent	dormais, dormis	dormirai, dormirais	dorme
(b) ouvrir,[2] to open	ouvrant, ouvert	ouvre, -s, ouvre, ouvrons, -ez, -ent	ouvrais, ouvris	ouvrirai, ouvrirais	ouvre
(c) venir,[3] to come	venant, venu	viens, viens, vient, venons, -ez, viennent	venais, vins	viendrai, viendrais	vienne
(d) tenir, to hold	tenant, tenu	tiens, tiens, tient, tenons, -ez, tiennent	tenais, tins	tiendrai, tiendrais	tienne
(e) courir, to run	courant, couru	cours, cours, court, courons, -ez, -ent	courais, courus	courrai, courrais	coure
(f) mourir, to die	mourant, mort	meurs, meurs, meurt, mourons, -ez, meurent	mourais, mourus	mourrai, mourrais	meure
(g) haïr, to hate	haïssant, haï	hais, hais, hait, haïssons, -ez, -ent	haïssais, haïs	haïrai, haïrais	haïsse
(h) cueillir, to pluck, to gather	cueillant, cueilli	cueille, cueilles, cueille, cueillons, -ez, -ent	cueillais, cueillis	cueillerai, cueillerais	cueille
(i) bouillir, to boil	bouillant, bouilli	bous, bous, bout, bouillons, -ez, -ent	bouillais, bouillis	bouillirai, bouillirais	bouille
(j) fuir, to flee	fuyant, fui	fuis, fuis, fuit, fuyons, fuyez, fuient	fuyais, fuis	fuirai, fuirais	fuie
(k) acquérir,[4] to acquire	acquérant, acquis	acquiers, acquiers, acquiert, acquérons, -ez, acquièrent	acquérais, acquis	acquerrai, acquerrais	acquière
(l) assaillir,[5] to assail	assaillant, assailli	assaille, -s, assaille, assaillons, -ez, -ent	assaillais, assaillis	assaillirai, assaillirais	assaille
(m) faillir,[6] to fail	faillant, failli	—	je faillis	—	—

[1] Similarly *partir*, to set out, to start ; *mentir*, to lie ; *servir*, to serve ; *sentir*, to feel ; *sortir*, to go out ; *se repentir*, to repent.
[2] Similarly *couvrir*, to cover ; *offrir*, to offer ; *souffrir*, to suffer.
[3] Similarly *devenir*, to become ; *se souvenir*, to remember.
[4] Similarly *conquérir*, to conquer.
[5] Similarly *tressaillir*, to shudder.
[6] This is a defective verb used chiefly in *j'ai failli* + infinitive, I nearly did . . ., and in *sans faillir*, without fail.

IRREGULAR VERBS IN -re

INFINITIVE	PARTICIPLES	PRESENT INDICATIVE	IMPERFECT, PAST DEFINITE	FUTURE, CONDITIONAL	PRESENT SUBJUNCTIVE
(a) *boire*, to drink	buvant bu	bois, bois, boit buvons, -ez, boivent	buvais bus	boirai boirais	boive
(b) *conduire*,[1] to conduct	conduisant conduit	conduis, conduis, conduit conduisons, -ez, -ent	conduisais conduisis	conduirai conduirais	conduise
(c) *connaître*,[2] to know	connaissant connu	connais, connais, aît connaissons, -ez, -ent	connaissais connus	connaîtrai connaîtrais	connaisse
(d) *coudre*, to sew	cousant cousu	couds, couds, coud cousons, cousez, cousent	cousais cousis	coudrai coudrais	couse
(e) *craindre*,[3] to fear	craignant craint	crains, crains, craint craignons, -ez, -ent	craignais craignis	craindrai craindrais	craigne
(f) *croire*, to believe	croyant cru	crois, crois, croit croyons, -ez, croient	croyais crus	croirai croirais	croie
(g) *dire*,[4] to say	disant dit	dis, dis, dit disons, dites, disent	disais dis	dirai dirais	dise
(h) *écrire*, to write	écrivant écrit	écris, écris, écrit écrivons, -ez, -ent	écrivais écrivis	écrirai écrirais	écrive
(i) *faire*, to do, make	faisant fait	fais, fais, fait faisons, faites, font	faisais fis	ferai ferais	fasse
(j) *lire*,[5] to read	lisant lu	lis, lis, lit lisons, -ez, -ent	lisais lus	lirai lirais	lise
(k) *mettre*,[6] to put	mettant mis	mets, mets, met mettons, -ez, -ent	mettais mis	mettrai mettrais	mette
(l) *naître*, to be born	naissant né	nais, nais, naît naissons, naissez, naissent	naissais naquis	naîtrai naîtrais	naisse
(m) *plaire*,[7] to please	plaisant plu	plais, plais, plaît plaisons, plaisez, plaisent	plaisais plus	plairai plairais	plaise

(n) *prendre*, to take	*prenant* *pris*	*prends, prends, prend* *prenons, -ez, prennent*	*prenais* *pris*	*prendrai* *prendrais*	*prenne*
(o) *rire*,[2] to laugh	*riant* *ri*	*ris, ris, rit* *rions, -ez, -ent*	*riais* *ris*	*rirai* *rirais*	*rie*
(p) *suivre*, to follow	*suivant* *suivi*	*suis, suis, suit* *suivons, -ez, -ent*	*suivais* *suivis*	*suivrai* *suivrais*	*suive*
(q) *vaincre*, to conquer	*vainquant* *vaincu*	*vaincs, vaincs, vainc* *vainquons, vainquez, vainquent*	*vainquais* *vainquis*	*vaincrai* *vaincrais*	*vainque*
(r) *frire*,[9] to fry	*frit*	*je fris, il frit*	—	*frirai*	

[1] Similarly *traduire*, to translate ; *construire*, to construct, and other verbs in *-uire*.
[2] Similarly *paraître* and *apparaître*, to appear.
[3] Similarly *plaindre*, to pity ; *se plaindre*, to complain ; *peindre*, to paint ; *atteindre*, to reach ; *feindre*, to pretend ; *éteindre*, to extinguish ; *joindre*, to join.
[4] Similarly *contredire*, to contradict ; *prédire*, to predict ; *interdire*, to forbid ; *maudire*, to curse, except *contredisez, redisez, interdisez, maudissons, maudissez*.
[5] Similarly *suffire*, to suffice and *confire*, to pickle, except the past participles *suffi* and *confit* and the past definites *suffis* and *confis*.
[6] Similarly *battre*, to beat, but *j'ai battu* ; past definite, *battis*.
[7] Similarly *se taire*, to be silent, but *il se tait* (no circumflex).
[8] Similarly *vivre*, to live ; past participle, *vécu* ; past definite, *vécus*.
[9] This is a defective verb, usually intransitive. The transitive form is *faire frire*.

71.

VERBS IN -oir

INFINITIVE	PARTICIPLES	PRESENT INDICATIVE	IMPERFECT PAST DEFINITE	FUTURE, CONDITIONAL	PRESENT SUBJUNCTIVE
(a) devoir, to owe, to have to (must)	devant dû, (f.) due	dois, dois, doit devons, -ez, doivent	devais dus	devrai devrais	doive
(b) pleuvoir, to rain	pleuvant plu	il pleut	il pleuvait il plut	il pleuvra il pleuvrait	pleuve
(c) pouvoir, to be able (can)	pouvant pu	peux (or puis), peux, peut pouvons, -ez, peuvent	pouvais pus	pourrai pourrais	puisse
(d) recevoir,[1] to receive	recevant reçu	reçois, reçois, reçoit recevons, -ez, reçoivent	recevais reçus	recevrai recevrais	reçoive
(e) savoir, to know	sachant su	sais, sais, sait savons, -ez, -ent	savais sus	saurai saurais	sache
(f) voir, to see	voyant vu	vois, vois, voit voyons, -ez, voient	voyais vis	verrai verrais	voie
(g) vouloir, to be willing, wish	voulant voulu	veux, veux, veut voulons, -ez, veulent	voulais voulus	voudrai voudrais	veuille
(h) falloir, to be necessary	— fallu	il faut	il fallait il fallut	il faudra il faudrait	faille
(i) valoir, to be worth	valant valu	vaux, vaux, vaut valons, -ez, -ent	valais valus	vaudrai vaudrais	vaille
(j) mouvoir, to move	mouvant mu (f. mue)	meus, meus, meut mouvons, -ez, meuvent	mouvais mus	mouvrai mouvrais	meuve
(k) asseoir,[2] to seat	asseyant assis·	assieds, assieds, assied asseyons, -ez, -ent	asseyais assis	asseyerai[3] asseyerais[3]	asseye

[1] Similarly apercevoir, to catch sight of; concevoir, to conceive; décevoir, to deceive, etc.
[2] Similarly the more frequently used s'asseoir, to sit down, which in the present tense singular is also je m'assois, tu t'assois, il s'assoit.
[3] or assiérai(s).

72.   *Vive la reine !* Long live the queen !

This is an example of the subjunctive in both French and English. Whereas the indicative *elle vit* (she lives) expresses a fact, the subjunctive expresses an idea in the mind of the speaker, particularly when this is a wish, a doubt or a fear.

Only two tenses of the subjunctives are used in the spoken language : the Present Subjunctive and the Perfect Subjunctive.

The Present Subjunctive, which is also used for the future, has the same endings for all verbs (except *avoir* and *être*). They are the same endings as those for the indicative of the *-er* conjugation, except that *i* is inserted before *-ons* and *-ez* (see Section **63**). These endings are (with a few exceptions) added to a stem derived from the 3rd person plural of the indicative (*ils finiss/ent, ils prenn/ent, ils reçoiv/ent*, etc.)

The Perfect Subjunctive is formed from the Present Subjunctive of *avoir* and *être* and the past participle.

There exist also the Imperfect[1] and Pluperfect[2] Subjunctives, but these are hardly ever used in the spoken languages. Their ugly-sounding forms in *-asse* and *-usse* are avoided in modern French, even in the written language, and replaced by either the present or the perfect of the subjunctive.

[1] for endings see table of conjugations (Section **63**).
[2] formed by the Imperfect Subjunctive of *avoir* (or *être*) + past participle.

73.   The subjunctive as the main verb is used :

(*a*) in wishes : *Qu'elle s'en aille.* Let her go away.
                       Qu'il le fasse tout de suite. Let him do it at once.

(*b*) in certain set phrases :
                       Advienne que pourra. Come what may.
                       Pas que je sache. Not that I know.
                       Autant que je sache. As far as I know.
                       Plaise à Dieu ! Please God !
                       À Dieu ne plaise ! God forbid !
                       (Que) Dieu vous bénisse ! God bless you !
                                            (e.g. to someone sneezing)

(a) INDICATIVE

Certainty	*Je sais*	*qu'il*	*viendra.*
	Je suis sûr		*le fera.*
	Il est certain		*y ira.*
	Je crois		*nous l'apportera.*
Probability	*Il est probable*		*le leur enverra.*
Hope	*J'espère*		
	Il est à espérer		

(b) SUBJUNCTIVE

Possibility	*Il est possible*	*qu'il*	*vienne.*
	Il se peut		*le fasse.*
Assumption	*Je suppose*		*y aille.*
Uncertainty	*Je ne suis pas sûr*		*nous l'apporte.*
Doubt	*Je doute*[1]		*le leur envoie.*
	Je crains[1]		*le sache.*
Fear	*Il est à craindre*		*en reçoive.*
Regret	*Il est à regretter*		*parte aujourd'hui.*
Improbability	*Il est peu probable*		
Impossibility	*Il est impossible*		
Judgement	*Il est bon*		
	Il est nécessaire		
	Il faut		
	Il ne faut pas		
	Il est peu désirable		
Wish	*Je souhaite*		
Permission	*Je permets*		
Ordering	*J'ordonne*		
Forbidding	*Je défends*		

If something is probable or hoped for, it is still regarded as a fact, so the indicative is used after *je crois, j'espère, il est probable*, etc. But if something is doubted, regarded as uncertain or disbelieved, the subjunctive is used. It is further used to express the speaker's attitude to a fact, whether he approves or disapproves, is glad or sorry, fears or welcomes it, desires or forbids it. In the sentence *je sais qu'il ne viendra pas* the fact is merely affirmed. But in

[1] Insert *ne* (*qu'il ne vienne, qu'il n'y aille*, etc.). Although illogical, it suggests that what is said may not happen.

je regrette qu'il ne vienne the fact that he does not come is secondary in importance to the expresssion of the speaker's expression of regret, therefore the subjunctive is used. In *À quelle heure croyez-vous qu'il viendra?* the coming is not in doubt, but it is in *Croyez-vous qu'il vienne?*

In *voici quelqu'un qui peut vous aider* the speaker is certain that this man CAN help you. In *il se peut que cette personne puisse vous aider* the possibility is expressed that he MAY help you. As the possibility is not yet realised the subjunctive is also used in *je cherche quelqu'un qui puisse m'aider*.

In the following examples the subjunctive is used because the dependent statement is either doubtful or contrary to fact :

Y a-t-il quelqu'un qui sache cela? Is there anyone who knows that ?

Il n'y a personne qui puisse le faire. There is no one who could do it.

75. The subjunctive is also required after a number of conjunctions expressing ideas similar to those of the verbs just mentioned (see Section **99**).

It is also used in relative clauses after a superlative or such words as *le premier, le dernier, le seul* to indicate a shade of uncertainty or doubt that something really is the first, the best, the only, etc. of its kind.

C'est le meilleur (le premier, le dernier, le seul, etc.) qu'il y ait.

76. The subjunctive is not used :

(a) in dependent questions. *Je ne sais pas où il est.*

(b) after assumptions introduced by *si*. *S'il vient je le lui dirai.*

Assumptions, other than those introduced by *si*, take the subjunctive whenever the dependent clause precedes the main clause. *Qu'il soit ambitieux, je le crois.*

77. The subjunctive is avoided in the spoken language, particularly when the verb has the same subject in both the principal and subordinate clause. (*Je suis content d'être venu* instead of *je suis content que je sois venu*.)

There are various ways of avoiding the subjunctive, even if there is a change of subject :

WITH SUBJUNCTIVE	AVOIDING THE SUBJUNCTIVE
Restez ici jusqu'à ce que je revienne.	*Restez ici jusqu'à mon retour.*
Il est possible qu'il ait raison.	*Peut-être qu'il a raison.*
C'est étonnant qu'il ait fait cela.	*C'est étonnant ce qu'il a fait.*
Il faut qu'elle prenne le médicament.	*Il lui faut prendre le médicament.*
Que vous ayez raison, c'est certain.	*Vous avez raison, c'est certain.*
C'est dommage qu'il ne soit pas venu.	*Il n'est pas venu. C'est dommage.*

78.   THE INFINITIVE

(1) *Défense de fumer.*   Smoking forbidden.
(2) *Chambre à louer.*   Room to let.
(3) *Enchanté de vous voir.*   Delighted to see you.
(4) *C'est facile à faire.*   It is easy to do.
(5) *N'oublie pas de fermer la porte.*   Don't forget to shut the door.
(6) *Commençons à jouer.*   Let us start playing.
(7) *Entrez sans frapper.*   Come in without knocking.
(8) *Je crois l'avoir vu.*   I believe I have seen him.
(9) *Que faire?*   What can I (we) do?   What is to be done?
(10) *Lequel choisir?*   Which shall I (we) choose?
(11) *Pourquoi se fâcher?*   Why get angry?
(12) *Ne pas marcher sur la pelouse.*   Keep off the grass.

The above examples show the wide use of the infinitive in French.

It is used where English uses verbal forms in *-ing* (examples 1, 6, 7). It may follow a noun (examples 1, 2), an adjective (examples 3, 4), a verb (examples 5, 6, 8), a preposition (examples 1-7), an interrogative (examples 9, 10) or a conjunction (example 11).

The infinitive may also be used as a noun (*le rire*), or as an imperative in official notices (example 12).

The infinitive depending on a noun or an adjective is preceded by either *de* or *à* (examples 1-4). See also Sections **114** and **115.**

79. THE INFINITIVE DEPENDING ON ANOTHER VERB

De is the most frequent link between a verb and an infinitive, and is used in all cases except the following (Sections **80-86**) :

80. THE INFINITIVE WITHOUT PREPOSITION IS USED AFTER:

(*a*) Verbs of wishing, saying,[1] thinking,[1] feeling.
J'espère vous voir demain. Je voudrais bien y aller.

(*b*) *aller, pouvoir, devoir, savoir, vouloir.*
Je vais le lui dire. Je sais conduire.

(*c*) *faire, laisser, voir, entendre, sembler.*
Il faut faire venir un médecin. Je le lui ai entendu dire.

[1] When there is a change of subject *que* is used. Compare the following: *Il croit être malade ; Je crois qu'il est malade.*

81. THE INFINITIVE WITH *à* IS USED AFTER THE FOLLOWING VERBS :

aider à, to help to
aimer à, to like to
apprendre à, to learn how to
arriver à, to arrive at, to succeed in
avoir à, to have to
avoir | *peine à* | to have some difficulty in
      | *du mal à* |
chercher à, to try to
commencer à, to begin to
consister à, to consist in (*consister en*, to consist of)
continuer à, to continue to
se décider à, to make up one's mind to
demander à, to ask for
être à (*blâmer, craindre, plaindre*, etc.), to be (blamed, feared, pitied, etc.)
être facile (*difficile, bon, mauvais*, etc.) *à*, to be easy (difficult, good, bad, etc.) to
être le seul (*le premier, le dernier*, etc.) *à*, to be the only (the first, the last, etc.) to
gagner à, to gain by
s'intéresser à, to be interested in
inviter à, to invite for

se mettre à, to start
obliger à, to oblige to
s'occuper à, to be engaged in
passer | *son temps à*, to spend | one's time in
perdre | to waste |
persister à, to persist in
prendre plaisir à, to take pleasure in
réussir à, to succeed in
servir à, to be useful for
songer à, to dream (think) of
suffire à, to suffice to
tarder à, to be late in

82. POUR + INFINITIVE = "in order to . . ."

    Il me faut de l'argent pour acheter du pain.
    Il est trop petit pour venir avec nous.

83. APRÈS + INFINITIVE OF THE PERFECT = " after . . . ing"

    Après avoir fini ce travail, je vais me reposer.

84. SANS + INFINITIVE = " without . . . ing "

    Il est parti sans nous dire adieu.

85. PAR is used with *commencer* and *finir* in the sense of " to begin or to end up by doing something."

    Nous commençons par faire de la gymnastique.
    Nous finissons par le chant de la Marseillaise.

86. Distinguish between :

commencer à,[1]	begin to	*finir de faire*,	finish doing
commencer par,	begin by	*finir par faire*,	end up by doing
prendre garde à,	take care to	*décider à*,	induce to
prendre garde de,	beware of	*décider de*,	decide to
		se décider à,	make up one's mind to

[1] also used with *de*.

141

s'occuper à,	to occupy oneself in
s'occuper de,	take an interest in

J'aimerais aller au théâtre.	I would like to go to the theatre.
J'aime mieux rester chez moi.	I prefer to stay at home.
J'aime à tricoter.	I like knitting.

The plain infinitive follows the Conditional and *aimer mieux* (*autant*), otherwise *à* is used.[1]

Elle dit être la préposée.	She says she is the woman in charge.
Il lui dit de réparer le fusible.	He tells him to repair the fuse.
Elle vient nous voir.	She is coming to see us.
Je viens de la voir.	I have just seen her.

[1] but frequently omitted in the spoken language.

87.   GOVERNMENT OF VERBS

(1) *Je le comprends.* I understand him (or it).
(2) *J'écris à votre père.* I am writing to your father.
(3) *Dites à votre mère* . . . Tell your mother . . .
(4) *Écoutez votre mari.* Listen to your husband.
(5) *Nous attendons le courrier.* We are waiting for the mail.
(6) *Regardez-la* ! Look at her !
(7) *Donnez ces fleurs à votre sœur.* Give your sister these flowers.
(8) *J'ai emprunté de l'argent à un ami.*
    I borrowed some money from a friend.
(9) *Elle pense à lui.* She thinks of him (her).
(10) *Il jouit d'une bonne santé.* He enjoys good health.

In many cases a direct object in English is also a direct object in French (example 1), and the same applies to indirect objects (example 2). However, some verbs taking a direct object in English require an indirect object in French (example 3) or vice versa (example 4). A number of verbs take a direct object while their English counterparts take a preposition (examples 4-6). *À* is the most frequent link between a verb and its indirect object, whether " to " is omitted in English (example 7) or other prepositions are used (examples 8 and 9). Some verbs require *de* (example 10).

88. VERBS TAKING A DIRECT OBJECT

attendre, to wait for
écouter, to listen to
payer, to pay for
demander, to ask for
sonner, to ring for

regarder, to look at
chercher, to look for
envoyer chercher, to send for
sentir, to smell of
espérer, to hope for

89. VERBS TAKING OBJECT WITH *à*

répondre à, to answer
obéir à, to obey
coûter à, to cost (someone)
ressembler à, to resemble
aller à, to suit
se fier à, to trust
donner soif à, to make thirsty
faire honte à qn., to make so. feel ashamed
faire du mal à, to harm, to hurt
tenir à faire qch., to be keen on doing sth.
veiller à qch., to watch over, see to sth.
s'attendre à qch., to expect sth.

convenir à, to suit
nuire à, to harm
penser à, to think of
reprocher à, to reproach (someone)
succéder à, to succeed (someone)
faire plaisir à, to please
demander pardon à, to apologise
faire peur à, to frighten
faire du bien à, to do good
tenir compagnie à, to keep company with
tenir à ce qu'on fasse qch., to be anxious that something shall be done

90. VERBS TAKING OBJECT WITH *de*

s'approcher de, to approach
douter de, to doubt
se douter de, to suspect
manquer de, to lack
remercier de, to thank for
rire de, to laugh at
être content (fâché) de, to be pleased (sorry) about
se charger de, to undertake
s'apercevoir de, to notice
se nourrir de, to feed on

jouir de, to enjoy
se méfier de, to distrust
se souvenir de, to remember
se servir de, to use
féliciter de, to congratulate on
vivre de, to live on
souffrir de, to suffer from
avoir besoin de, to need
avoir envie de, to want
avoir peur de, to be afraid of
convenir de, to admit

91. VERBS TAKING TWO OBJECTS

acheter		to buy	
emprunter		to borrow	something
prendre		to take	from
ôter		to take away	someone
voler	*quelque*	to steal	
demander	*chose*	to ask	
souhaiter	*à quelqu'un*	to wish	
pardonner		to forgive	someone
offrir		to offer	something
enseigner		to teach	
faire savoir		to let someone know something	

dire		to tell	
demander		to ask	
conseiller		to advise	
promettre	*à quelqu'un*	to promise	someone
permettre	*de faire*	to allow	to do
défendre	*quelque*	to forbid	something
persuader	*chose*	to persuade	
ordonner		to order	
recommander		to recommend	

92. VERBS TAKING DIFFERENT CONSTRUCTIONS ACCORDING TO THEIR MEANING

changer qch.	to change for something different (money, plans, something bought in a shop)
changer de	to change for another of the same kind (clothing, trains, buses, etc.)
croire qch.	to believe something
croire à	to believe in (someone's honesty, the existence of ghosts, etc.)
croire en	to believe in God, Christ, etc.
jouer qch.	to play a part, a tune
jouer à	to play a game (*aux cartes, au tennis,* etc.)[1]

[1] To play a game of chess, billiards, etc., is *faire une partie d'échec, de billard* etc.

jouer de	to play an instrument (*du violon, de la harpe*, etc.)
demander qch. or *qn.*	to ask something[1] or for someone
demander qch. à qn.	to ask someone for something
demander à qn. de faire qch.	to ask someone to do something
payer qn. or *qch.*	to pay someone or something or for something
payer qch. à qn.	to pay someone for something
penser à qn. or *qch.*	to think of someone or something
penser de	to have an opinion of
servir qn.	to serve someone
servir à	to be useful for
servir de	to serve as
se servir de	to use
user qch.	to wear out
user de	to make use of

[1] *à* before an infinitive : *il demande à boire.*

93. MANQUER

Il manque d'argent.   He is short of money.
Il a manqué de le faire.   He nearly did it.
Il a manqué à son devoir.   He failed in his duty.
Il a manqué à sa parole.   He has broken his word.
Il a manqué le train.   He missed the train.
Je l'ai manqué.   I missed him (failed to reach him in time).
Il me manque.   I miss him (am sorry to be without him).
Je lui manque.   He misses me.
Elle lui manque.   He misses her.

94. VERBS WITH PREPOSITIONS OTHER THAN *à* OR *de* (See also Section **95**.)

Boire dans une tasse.	To drink from a cup.
Prendre dans l'armoire.	To take out of the cupboard.
Prendre sur le rayon.	To take from the shelf.
Choisir entre mille.	To choose out of a thousand.
Manger dans une assiette.	To eat from a plate.

With the verbs *boire, manger, prendre, choisir* French uses the prepositions *dans, sur, entre* for " from, out of ".

Je n'ai pas d'argent sur moi.	I have no money with me.
Il habite près de chez nous.	He lives near us.
Je viens de chez les Lebrun.	I come from the Lebruns.
En quoi consiste ceci ?	What does this consist of?
Elle est fâchée contre moi.	She is annoyed with me.
Elle est fâchée de l'avoir dit.	She is sorry she said it.

95.   PREPOSITIONS

dans l'armoire	in the cupboard
en ville	in town
à Paris	in Paris
en France	in France
en avril	in April
de ce côté	in this direction
à cinq heures du matin	in the morning
la plus grande ville du monde	in the world
elle porte un panier à la main	in her hand
par un temps pareil	in such weather
j'irai à Paris dans huit jours	in a week's time
le voyage par avion se fait en deux heures	in two hours

These examples show that French usage of prepositions differs considerably from English. *Dans* has the meaning of " inside " or " into ", so one is or is going *dans sa chambre*, but carries a basket or an umbrella *à la main*. *Dans* is usually followed by the definite article, so " in town " is *en ville*, whereas *dans la ville* means " inside the town ". *À* is used before names of towns and villages, *en* before names of countries[1] and parts of the globe. *Dans* is used for " time at the end of which ", so you see your friend *dans trois jours*. The time " within which something is or can be done " is expressed by *en*, so a job can be done *en trois jours*. *Par* is the preposition used with expressions relating to weather conditions, so you go out for a walk *par une belle matinée*, but stay indoors *par ce temps affreux*. *Par* also denotes movement through (*il est entré par cette porte*) and indicates cause, agent or means (*par avion*). For *par* with the

---

[1] *au* before countries which are masculine : *au Maroc, au Portugal, au Danemark, aux États-Unis.*

infinitive see Section **85**. *De* is used for direction and has many other uses, too numerous to list here. *De* and *à* are the most frequently used prepositions and further examples are given in Sections **114** and **115**. For other prepositions see also Sections **94** and **99**. The only way to learn how to use them correctly is to note the differing uses of prepositions as they occur in French books and journals.

96. Prepositions are sometimes reinforced by other parts of speech :

dites-lui de ma part	tell him from me
à partir de demain	from tomorrow
du côté de	from, towards
auprès de	beside

97. In some cases French has no preposition where English requires one :

le 14 *juillet*	on July 14th
je l'ai payé 50 *francs*	I paid 50 francs for it
Il habite rue Drouot	He lives in the Rue Drouot

98. The difference between *pour*,[1] *pendant* and *depuis* is seen in the following examples :

Nous sommes en France pour trois mois. D'abord nous sommes restés à Paris pendant huit jours. Nous sommes à Cannes depuis deux jours.

[1] for *pour* with the infinitive, see Section **82**.

99. CONJUNCTIONS

Whereas in English the same word can often be used both as a conjunction and as a preposition, in French the conjunction and the preposition are different in form.

PREPOSITION		CONJUNCTION	
(followed by a noun, a pronoun or an infinitive)		(introducing a clause with the verb in either the indicative or subjunctive mood)	
after	*après*	*après que*	(indicative)
before	*avant*	*avant que*	(subjunctive)

because	*à cause de*	*parce que*	(indicative)
in case	*en cas de*	*en cas que*	(subjunctive)
since	*depuis*	*depuis que*	(indicative)
without	*sans*	*sans que*	(subjunctive)
until	*jusqu'à*	*jusqu'à ce que*	(subjunctive)

| in order to ⎱ | *pour* | in order that ⎱ | *pour que* (subjunc- |
| so as to ⎰ | *afin de* | so that ⎰ | *afin que*   tive) |

in such a ⎱	*de façon à*	in such a	*de façon que*
way as to ⎰	*de manière à*	way that	*de manière que*
			de sorte que

(indicative or subjunctive)[1]

The subjunctive is also required after:

bien que, quoique	although	*à moins que*[2]	unless
pourvu que	provided that	*de peur que*[2]	⎱ for fear that
supposé que	supposing that	*de crainte que*[2]	⎰
		à condition que	on condition that

Other conjunctions such as *si, comme, quand, dès que, aussitôt que, alors que, pendant que,* etc. require the indicative.

[1] They take the indicative when they express result, the subjunctive when they express purpose.

[2] followed by *ne* before the verb.

100. *Où* (or *que*) is used to introduce a clause which qualifies a noun expressing time.

Le mois (le jour, le moment) où (que) je suis arrivé.

101. *Si* in the meaning of " if " cannot be followed by Future or Conditional. Present or Imperfect are used instead.

Je le ferai, si j'ai le temps.
Je le ferais, si c'était possible.

If used in the sense of "whether", Future or Conditional can follow *si*.

102. *Si* followed by the verb in the Imperfect means " How about . . .? "

Si nous déjeunions maintenant? How about having lunch now?

AFFIRMATION AND NEGATION

103. OUI = yes (in most cases).

SI = yes (in answer to a question put in the negative).

Vous ne sortez pas ce soir?   Si, madame, je sors.

Other forms of affirmation are : *mais oui, mais si, certainement, parfaitement, naturellement, oui vraiment, bien sûr, bien sûr que oui, bien sûr que si, je crois que oui, je crois que si.*

Oui, si, non, etc. should always be followed by *monsieur, madame, mademoiselle,* when speaking to a stranger or to someone to whom one wishes to show respect.

104. NON is the stressed form of the negative; NE the unstressed form which precedes the verb and is usually strengthened by another word following the verb (compare English " I don't like him a bit ").

105. NE is used in the following combinations :

(1) *ne ... pas* ⎫ not
    ne ... point[1] ⎭
    ne ... plus no more
    ne ... jamais never
    ne ... rien nothing
    ne ... guère hardly
    ne ... nullement in no way
    ne ... pas encore not yet

(2) *ne ... personne* nobody
    ne ... que only
    ne ... nulle part nowhere
    ne ... ni .. ni neither .. nor
    ne ... nul(le) no (adjective)
    ne ... aucun(e) not any

Ne precedes the verb or any other unstressed adjuncts used with it.   The second part of the negative follows the verb.   If the verb has a compound form the auxiliary is separated in the same way, but *personne* and the other words in the second group follow the past participle.

Je n'en sais rien.   Il ne me l'a jamais demandé.   Je n'en ai eu aucune envie.

The forms listed in group (1) precede the infinitive.   Those in group (2) follow it.

Il vaudra mieux ne plus y aller.   Elle ne veut voir personne.

[1] hardly used in the spoken language.

106. JAMAIS, RIEN, PERSONNE, AUCUN, NUL, PAS UN may begin a sentence.

Jamais je ne l'ai dit. Personne ne le veut. Pas un seul n'a réussi.

When there is no verb, or other parts of the sentence than the verb are used negatively, *ne* is omitted.

Rien à faire. Jamais de la vie. Pas[1] loin de là se trouve un autre café.

[1] or *non. Pas* is more colloquial. Both together may be used for emphasis.
Il me faut de l'argent comptant, non pas de chèques. I need cash, not cheques.

107. In complete sentences *personne, rien, jamais* if used without *ne* mean " anybody, anything, ever ".

Avez-vous jamais rien vu de pareil ?
Have you ever seen anything like it ?

108. NE ... QUE cannot be used without a verb, nor can it be used to modify the subject or the verb itself. *Seul* or *seulement* are used instead.

Je n'ai que cent francs. — Cent francs seulement?
Seul le directeur pourra décider.

109. In literary style *pas* is sometimes omitted after *savoir, pouvoir, cesser, oser* and always in: *je ne puis (je ne saurais),* I cannot;[1] *N'importe,* no matter;[2] *Je ne sais que faire,* I don't know what to do.

[1] *Je ne peux pas* in colloquial French.
[2] see Section **57.**

110. In colloquial French *ne* is frequently omitted.

J'aime pas ça.
J'en sais rien.
Place Drouot ? — Connais pas.

STRESS

111. In English any part of a sentence can be stressed :

> *I* (not you) gave her this book.
> I *gave* (not lent) her this book.
> I gave *her* (not him) this book.
> I gave her *this* (not that) book.
> I gave her this *book* (not bag).

In *Je lui ai donné ce livre* only the last word is in a stressed position. To stress other parts of this sentence the following changes will have to be made:

To stress:

I	*C'est moi qui lui ai donné ce livre.*
gave	*Ce livre, je le lui ai donné.*
her	*C'est à elle que j'ai donné ce livre.*
this	*Je lui ai donné ce livre-ci.*
book	*C'est ce livre que je lui ai donné.*

Although *livre* is already in a strong position in *Je lui ai donné ce livre*, the use of *c'est . . . que* gives it still greater prominence.

Note that the stressing of certain parts of the sentence is achieved by:

(*a*) the use of stressed forms (*moi, à elle, ce livre-ci*) instead of the unstressed *je, lui, ce livre*.

(*b*) the use of the construction *c'est . . . qui* (for the subject) and *c'est . . . que* (for an object).

(*c*) placing the word to be stressed at the end of the sentence.

112. *Stressed and Unstressed Forms*

UNSTRESSED FORMS	CORRESPONDING STRESSED FORMS
ce, cet, cette, ces	*ce . . . -ci ; ce . . . -là.* etc.
je, tu, il, ils	*moi, toi, lui, eux*
me, te, se	*moi, toi, soi*
le, la ; les	*lui, elle ; eux, elles*
ne ; que ; ce	*non ; quoi ; ceci, cela*
y ; en	*là ; de là*
mon, ma ; mes	*le mien, la mienne ; les miens, les miennes*
ton, ta ; tes	*le tien, la tienne ; les tiens, les tiennes*
son, sa ; ses	*le sien,* etc.
notre ; nos	*le (la) nôtre ; les nôtres*
votre ; vos	*le (la) votre ; les vôtres*

    The definite article:
      le, la, les
    Short prepositions:
      à, de, en, par

The pronouns *le, la, les* take the stress in the affirmative imperative:

Prenez-le.   Montrez-les.

Tu, il, ils take the stress at the end of a question : *Plaît-il?*

Note the repetition of unstressed forms before each noun :

Mon oncle et ma tante viendront ce soir.   En été et en hiver.
Voici les cahiers de Paul et de Léon.

MISCELLANEOUS

113.   LIST OF REFLEXIVE VERBS

s'adresser à, to apply to
s'alarmer, to be alarmed
s'en aller, to go away
s'amuser (à), to enjoy oneself (by)
s'apercevoir de, to notice
s'appeler, to be called
s'approcher de, to approach
s'arranger, to come to an arrangement
s'asseoir, to sit down
s'attendre à, to expect
se baisser, to stoop
se commander, to order for oneself
se bien (mal) conduire, to behave well (badly)
se coucher, to lie down
se débarrasser de, to get rid of
se décider à, to decide to
se décourager, to be discouraged
se dépêcher, to hurry
se déranger, to trouble
se dire, to think
se donner la peine de, to take the trouble to
se douter de, to suspect
s'écrier, to exclaim, to cry out
s'efforcer de, to endeavour to
s'empêcher de, to refrain from
s'enfuir, to flee
s'engager à, to undertake to
s'ennuyer, to be bored
s'enrhumer, to catch a cold

s'étonner de, to be astonished at
s'évader, to escape
s'évanouir, to faint
s'excuser de, to apologise for
se fâcher de, to get angry
se faire (+ infinitive), to have something made or done for oneself
se faire de la bile (du mauvais sang), to worry
se fier à, to trust, to rely on
se figurer, to imagine
se garder de, to take care not to
se gargariser, to gargle
se gêner, to put oneself to inconvenience ; to stand on ceremony
s'habiller, to get dressed
s'habituer à, to get used to
s'imaginer, to imagine, to fancy
s'inquiéter, to worry
s'intéresser à, to be interested in
se laisser (décourager, intimider, prendre, etc.) to allow oneself to be
    (discouraged, intimidated, taken in, etc.)
se lever, to get up
se marier, to get married
se méfier de, to mistrust
se mêler de, to be mixed up in
se mettre à, to go to, to begin to
se moquer de, to laugh at, to make fun of, not to care for
se noyer, to drown
s'occuper de, to attend to, to be occupied with
s'offenser de, to be offended at
s'opposer à, to be opposed to
se passer de, to do (get along) without
se payer le luxe de, to afford
se permettre de, to take the liberty to
se plaindre de, to complain about
se plaire à, to take pleasure in
se porter bien, to be in good health
s'en prendre à, to blame
savoir s'y prendre, to know how to go about it, how to manage it
s'y bien (mal) prendre, to set about it in the right (wrong) way
se presser de, to hurry to

se promener, to walk, to go for a walk
se rappeler, to remember
se refuser à, to refuse
se réjouir de, to rejoice at, in, to
se rendre à, to go, to make for
se reposer, to rest
se réveiller, to wake up
se sauver, to escape, to run away, to be off
se sentir, to feel
se servir de, to use
se souvenir de, to remember
se taire, to be silent
se tenir (s'en tenir) à, to stick to
se tromper, to be mistaken
se vanter de, to boast of
s'en vouloir de, to be angry with oneself for

USE OF *de* AND *à*

114.   DE   À   **115.**

(*a*) Primary meaning : **from**   (*a*) Primary meaning : **to**

> *Je viens de l'église*   *Je vais à l'église*
> *Nous venons de Paris*   *Nous allons à Paris*
> *C'est un cadeau de mon père*   *Je le donnerai à mon père*
>
>   *Du nord au sud*
>   *De l'est à l'ouest*
>   *De 50 à 60 personnes*

(*b*) Secondary meaning : **of**   (*b*) Secondary meaning : **in, at, on** (place where)[1]

> *La ville de Paris*   *Il demeure à Paris*
> *Les rues de Paris*   *Il habite au 5 rue Bossu*
> *Une maison de campagne*   *Elle vit à la campagne*
> *Un appartement de luxe*   *Un appartement au deuxième étage*

[1] But *de l'autre côté de la rue* can mean both from and on the other side of the street. The meaning is made clear by the context : *Nous venons de l'autre côté de la rue. Le café se trouve de l'autre côté.*
    Similarly *le train de Paris* can refer to both the train coming from or going to Paris. These two meanings can be more clearly expressed by *le train venant de Paris* and *le train allant à Paris*.

L'index de la main droite   Une canne à la main
La forme de sa tête   Il a mal à la tête
Le prix du café   Je l'ai vu au café
Une lampe de table   Une lampe suspendue au mur

À la Gare du Nord
À l'ombre d'un arbre
Au milieu de la salle
Au commencement de la leçon

(c) Time **from** or **during which**   (c) Time **at, by,** or **till which**

D'aujourd'hui en quinze   À six heures
De bonne heure   Prendre un taxi à l'heure
De nos jours   À demain. À ce soir
Du temps de Napoléon   À tout à l'heure

Du matin au soir
De lundi à vendredi
Du 27 avril jusqu'au 3 mai

(d) Contents or composition   (d) Purpose

Un verre de vin   Un verre à vin
Une tasse de café   Une tasse à café
Une cuillère d'argent   Une cuillère à thé
Une boîte d'allumettes   Une boîte aux lettres
Un homme de neige   Une machine à coudre
Un chapeau de paille   Une chambre à coucher

(e) Manner in which something   (e) Means by which something is
    is done[1]   done

De la sorte (in such a way)   Un réchaud à gaz (gas cooker)
D'un air fâché (angry looking)   Une lampe à pétrole (paraffin oil)
D'une voix basse (in a low   Un bateau à voiles (sailing
    voice)   boat)
D'une manière agréable (in a   Aller à bicyclette (à cheval, à
    pleasant way)   pied)
De la façon suivante (in the   Écrire à l'encre (au crayon)
    following way)

[1] but à l'anglaise, à la française, etc.
[2] parler à haute voix (à voix basse).

155

(f) What kind of a . . .
Le train de Paris
Le journal du soir

Un billet de cent francs

Un bateau de pêche (fishing boat)
Un accident d'auto
Un drôle d'homme (funny sort of man)

(g) Indicating partitive function
C'est du lait, de la crème
Ce sont des œufs
Une douzaine d'oranges
Beaucoup (assez) de fromage
Peu (trop) de sel
Autant (pas tant) de vin
Encore de la salade
Combien de morceaux?

Bien des choses

(h) Indicating the possessive
Le journal de mon père
La fille du boulanger
La Voix de son Maître (His Master's Voice)

(i) Measure
Une planche longue de 3 mètres
Un cercle de 50 cm. de circonférence
Un enfant âgé de neuf ans
Ma montre avance (retarde) de 5 minutes
Cela dure plus (moins) de trois heures
Le plus âgé des deux
La plus grande ville du monde

(f) Distinctive characteristics
Un chapeau à plumes
Un homme aux cheveux roux (red-haired)
La maison aux volets verts (with green shutters)
Une tarte aux cerises
Reconnaître à son béret basque
Un chien à longs poils (long-haired)

(g) Indicating the indirect object
Parler (écrire) à quelqu'un
Donner (montrer, offrir) quelque chose à quelqu'un
Demander (emprunter) de l'argent à un ami
Acheter (vendre) quelque chose à quelqu'un
C'est à vous de jouer (It's your turn)
C'est à lui de le décider (It's up to him)

(h) Belonging to . . .
Ceci est à moi
À qui est-ce livre?
Il appartient au professeur

(i) Price, rate, ratio, distance
80 kilomètres à l'heure
À trois kilomètres d'ici
À quel prix vendez-vous ceci?
À 1,60 francs la douzaine
3 est à 4 comme 6 est à 8
Vendre au mètre, au kilo
Un à un ; mot à mot ; goutte à goutte (drop by drop)

(j) Link between a verb and another part of the sentence

Être content (heureux, étonné, obligé) de

Avoir le temps (la bonté, l'amabilité) de

Refuser (craindre, décider, oublier) de

Défense de fumer (d'entrer, etc.)

Faire semblant de dormir (to pretend to be asleep)

(j) Preceding an infinitive with idea of purpose

Facile (difficile) à faire

Se décider à partir

Demander à manger

Quelque chose à boire
Qu'est-ce qu'il y a à lire?

(k) Cause, origin

Un roman de Simenon
Sauter de joie
Crier d'angoisse

(k) Calls for help

Au secours ! (help)
Au feu ! Au voleur !
À l'assassin ! (Murder)

(l) Miscellaneous

Rien de nouveau (nothing new)
Être d'accord (to agree)
Être de retour (to be back)

Mettre de côté (to put aside)

Entouré de . . . (surrounded by)
Dépendre de . . . (to depend on)
Connaître de vue (to know by sight)
Jamais de la vie ! (Never in my life)
Accompagné de qn.
Jouer du piano (de la harpe, and other musical instruments)

(l) Miscellaneous

Rien à faire
Être à vendre (à louer)
Être au courant (to know all about)
Acheter à tempérament (by instalments)
Comparable à . . .
Préférable à . . .
Semblable à . . .
Reconnaître à sa voix
Prenez garde à la peinture ! (Beware of the paint)
Opposé (interdit) à qn.
Jouer au tennis (aux cartes, and other games[1])

---

[1] To play a game of chess, draughts, billiards, etc. is *faire une partie d'échecs (de dames, de billard)*.

116. EN

(a) Primary meaning : **from there**

J'en viens directement

(b) Replacing partitive *de, de la, du, des* + noun

Avez-vous des allumettes? J'en ai.

(c) Replacing a noun in expressions of quantity (where no equivalent word is used in English)

Combien de stylos avez-vous? J'en ai deux.

(d) Complement of verbs and adjectives which take *de* (see Section **90**)

J'en suis content. I am pleased about it.
J'en suis surpris. I am surprised at it.
Il m'en a parlé. He spoke to me about it.
J'en ai besoin. I need it.
Je n'en doute pas. I don't doubt it.
Il l'a oublié. Je m'en doutais. He forgot it. I thought he would.

(e) Idiomatic uses

Encore du vin? Je vous en prie. Some more wine. Yes, please.
En voilà une idée ! What an idea !

Y 117.

(a) Primary meaning : **there**

J'y vais tout de suite.

(b) Replacing a noun preceded by *à, dans, en, sous, sur,* etc.

Y a-t-il des allumettes dans cette boîte? Il y en a.

(c) Replacing *là, là-bas, là-haut, par là, dedans, dessus, dessous,* etc.

Est-ce que Monsieur X est là? Il y est.

(d) Complement of verbs and adjectives which take *à* (see Section **89**)

J'y suis. I get you (I understand).
J'y consens. I agree.
Vous pouvez y compter. You can rely on it.
Je n'y comprends rien. I don't understand any of it.
Je n'y pense pas. I am not thinking of it.
Je n'y vois pas d'inconvénient. I see no objection to this.

(e) Idiomatic uses

Ça y est. There you are. That's that.
Je n'y puis rien. I can't help it.
Je n'y suis pour rien. I have nothing to do with it.

C'en est fait. That's done. That's that.

Où en sommes-nous? How far have we got (in reading, etc.)?

Je m'en tiens à ce que je vous ai dit. I stick to what I told you.

Ils savent s'y prendre. They know how to go about it.

Il s'y est bien (mal) pris. He went about it the right (wrong) way.

118.   REPLACING NOUNS BY PRONOUNS

(a) *Comment trouvez-vous*

    son chapeau?   *Il est très chic.*
    sa robe?   *Elle est magnifique.*
    ses souliers?   *Ils ont l'air confortable.*
    ses sandales?   *Elles sont affreuses.*

(b) *Connaissez-vous*

    mon frère?   *Je le connais bien.*
    ma sœur?   *Je la connais de vue.*
    mes cousins?
    mes cousines?   } *Je ne les connais pas.*

(c) *Écrivez-vous*

    à votre père?   *Je lui écris.*
    à votre mère?   *Je ne lui écris pas.*
    à vos amis?   *Je leur écris.*
    à vos amies?   *Je ne leur écris pas.*

(d) *Apportez-vous*

    ce verre à votre père (mère)?   *Je le lui apporte.*
    cette tasse à votre père (mère)?   *Je la lui apporte.*
    ce journal à vos amis (amies)?   *Je le leur apporte.*
    cette invitation à vos amis (amies)?   *Je la leur apporte.*
    ces fleurs à vos amis (amies)?   *Je les leur apporte.*

(e) *Est-ce que vous me vendez*

    votre poste de T.S.F.?   *Je vous le vends.*
    votre bicyclette?   *Je vous la vends.*
    ces gravures?   *Je ne vous les vends pas.*

(f) *Est-ce que votre ami vous prêtera*

son ballon?	*Il*	*me*	*le*	*prêtera.*
son auto?	*(Il ne)*	*nous*	*la*	*(prêtera*
ses jumelles?[1]			*les*	*pas).*

[1] binoculars.

(g) *Avez-vous*

du chocolat?   *J'en ai.*
de la confiture?   *Je n'en ai pas.*
des cigarettes?

(h) *Allez-vous*

au café?   *J'y vais.*
à l'hôtel?   *Je n'y vais pas.*

(i) *Prenez*

du gâteau !
de la salade !   *Prenez-en !*
des cerises !   *N'en prenez pas !*

(j) *Allez*

au cinéma !
à la pharmacie !   *Allez-y !*
dans votre chambre !   *N'y allez pas !*

(k) *Y a-t-il*

du vin?   *Il y en a.*
de la bière?   *Il n'y en a pas.*
des oranges?

(l) *Est-ce que votre père vous envoie*

de l'argent?   *Il m'en envoie.*
des paquets?   *Il ne m'en envoie pas.*

(m) *Avez-vous donné de l'argent*

à cet homme?   *Je lui en ai donné.*
à cette femme?   *Je ne lui en ai pas donné.*
à ces enfants?   *Je leur en ai donné.*
                   Je ne leur en ai pas donné.

(n) *Quel vin prenez-vous, ce vin-ci ou ce vin-là?*

    Quelle place préférez-vous, cette place-ci ou cette place-là?

    Quels gâteaux choisissez-vous, ces gâteaux-ci ou ces gâteaux-là?

    Quelles pommes voulez-vous, ces pommes-ci ou ces pommes-là?

Lequel prenez-vous, celui-ci ou celui-là?

Laquelle préférez-vous, celle-ci ou celle-là?

Lesquels choisissez-vous, ceux-ci ou ceux-là?

Lesquelles voulez-vous, celles-ci ou celles-là?

(o) *Est-ce que c'est*	*mon* *ton* *son* *votre* *notre* *leur*	*stylo?*	*C'est* *Ce n'est pas*	*le mien.* *le tien.* *le sien.* *le vôtre.* *le nôtre.* *le leur.*

(p) *Est-ce que c'est*	*ma* *ta* *sa* *votre* *notre* *leur*	*montre?*	*C'est* *Ce n'est pas*	*la mienne.* *la tienne.* *la sienne.* *la vôtre.* *la nôtre.* *la leur.*

(q) *Est-ce que ce sont*	*mes* *tes* *ses* *nos* *vos* *leurs*	*journaux?*	*Ce sont* *Ce ne sont pas*	*les miens.* *les tiens.* *les siens.* *les nôtres.* *les vôtres.* *les leurs.*

(r) *Est-ce que ce sont*	*mes* *tes* *ses* *nos* *vos* *leurs*	*affaires?*	*Ce sont* *Ce ne sont pas*	*les miennes* *les tiennes.* *les siennes.* *les nôtres.* *les vôtres.* *les leurs.*

For the position of adjectives see Section **13**.
For the position of adverbs see Section **18**.
For the position of unstressed object pronouns see Section **27**.
For the order of words in affective speech see Sections **111** and **112**.

To form questions, four different constructions are used :

(*a*) The word order is the same as in statements.

C'est vrai?	It is true?
Vous aimez la peinture?	You like painting?
Vous peignez vous-même?	You paint yourself ?

In the spoken language this is the most frequent way of forming questions.

(*b*) The subject follows the verb or auxiliary (Inversion[1]).

Où allez-vous?
Quand êtes-vous arrivé?

This construction is used when the sentence begins with an interrogative, but it is possible only when the subject is a pronoun. If the subject is a noun, the following construction is used :

(*c*) The noun subject is duplicated by a pronoun.

Votre ami viendra-t-il?
Votre frère, quand est-il arrivé?

(*d*) In the spoken language the construction given under (*c*) is often replaced by the use of *est-ce que, c'est . . . que (qui)*, thus retaining the normal word order (compare (*a*)).

Est-ce que votre ami viendra?
Quand est-ce que le train arrive?
Qu'est-ce que le docteur a dit?
C'est Jean qui vous a dit ça?

---

[1] In literary style inversion of subject and verb are also used in clauses with *ainsi*=thus (no inversion after *ainsi*=so), *aussi*=so, *peut-être*=perhaps, *à peine*=hardly, *bientôt*=soon, *déjà*=already, and other adverbs.

LETTER WRITING

The date : *Londres, le 23 janvier 1985*

The opening : (to strangers :) *Monsieur, (Madame, Mademoiselle),*
(to acquaintances :) *Cher Monsieur, (Chère Madame.*
Chère Mademoiselle).
(to friends :) *Cher Ami.*[1]
(to intimate friends :) *Mon cher Charles, (Ma chère*
Yvonne)
(to men of the same profession as your own :)
at first : *Monsieur et cher Collègue,*
later : *Mon cher Collègue.*

The ending : *Recevez* or *veuillez agréer), Monsieur, l'assurance* (or
l'expression), de mes sentiments[2] *distingués* (or *très*
distingués).
Monsieur may be replaced by the appellation which
has been used in the opening.
With greater acquaintance *distingués* is replaced by
cordiaux, affectueux or *les meilleurs.*

To friends : *Cordialement à vous (toi).*

(Veuillez transmettre) mes amitiés à tous.
(Please convey) my kind regards to everybody.
En attendant le plaisir de vous lire . . .
Looking forward to hear from you . . .

Prière de faire suivre. Please forward.
Aux bons soins de . . . Care of . . .
Poste restante. To be called for.

On the following pages are given three forms of letter which may
be used when writing for accommodation in France.

[1] *Chère Amie* from woman to woman. From a man only to an intimate
friend.
[2] or *salutations distinguées.*
[3] a man to a woman would say : *Je vous prie d'agréer, Madame, mes plus*
respectueux hommages, which on nearer acquaintance may be replaced by
avec mes hommages.

(1) *Lettre à un syndicat d'initiative*

Monsieur,

J'ai l'intention de passer deux semaines à X . . . du 25 août au 8 septembre. Je vous serais reconnaissant de me donner tous renseignements utiles sur votre localité et de bien vouloir m'indiquer quelques hôtels ou pensions de famille qui aient des chambres disponibles[1] à des prix modérés.

Notre famille se compose de trois personnes, dont un jeune enfant de huit ans. Une seule chambre nous suffirait.

Vous trouverez ci-joint[2] un coupon-réponse international.

Veuillez agréer, Monsieur, avec mes remercîments anticipés, mes bien sincères salutations.

> *John Smith,*
> *88, Buckingham Rd.,*
> *London, S.W.*19

Monsieur le Directeur,
Syndicat d'Initiative
Place de la République
34965 *Belleville*
France

[1] **available.**
[2] **enclosed.**
[3] code number of appropriate *département*

(2) *Lettre à un hôtelier pour obtenir des renseignements*

Monsieur,

Votre maison m'est recommandée par le syndicat d'initiative de votre ville. Je vous serais obligé de m'indiquer vos prix de pension pour notre famille : deux parents et trois enfants (treize, neuf et cinq ans).

Il nous faudrait donc deux chambres : l'une à trois lits, l'autre à un grand lit.

Notre intention serait de venir pour trois semaines en juillet ou en septembre, selon[1] vos prix et les places disponibles. J'espère que vous me consentirez une réduction intéressante étant donné[2] notre nombre. À ces renseignements j'aimerais que vous ajoutiez[3] quelques précisions[4] sur votre maison. Quel est le confort de vos chambres ? Eau courante ?[5] Salle de bains ? Les repas des jeunes enfants sont-ils prévus ?[6]

[1] according to.
[2] *étant donné*, in view of.
[3] *ajouter*, to add.
[4] (*f.*) details.
[5] running (from *courir*).
[6] from *prévoir*, to foresee.

*Le service et les taxes sont-ils comptés[7] dans vos prix de pension?
Sinon à combien se montent-ils ?[8]*

*Dans l'attente de vous lire, recevez, Monsieur, mes salutations
distinguées.*

John Smith,
88, Buckingham Rd.,
London, S.W.19

Monsieur le Propriétaire,
Hôtel Victor-Hugo,
Rue des Orangers,
34965 Belleville
France

[7] counted, included.   [8] *se monter*, to amount to.

---

(3) *Lettre à un hôtelier pour retenir des chambres*

Londres, le 1er mars 1985

Monsieur,

Votre lettre du 24 février m'est arrivée ce matin, et je vous en remercie.

*Le conditions que vous m'indiquez pour deux chambres au 2e étage avec
salle de bains et vue sur la mer – soit 150F par jour et par personne, et 25
p[1] 100 de réduction par enfant – me conviennent[2] parfaitement. Vous
trouverez ci-joint, à titre d'arrhes[3], un mandat international de 1000F.*

Nous arriverons dans l'après-midi du 1er juillet par le train de Paris.

Recevez, Monsieur, mes salutations distinguées.

John Smith,
88, Buckingham Rd.,
London, S.W.19

Monsieur le Propriétaire,
Hôtel Victor-Hugo,
34965 Belleville

France

[1] pourcent, per cent.   [2] suit
                               [3] as a deposit.

EXERCISES

I

A. *Reply in French :*

1. Quand aurez-vous vos vacances cette année ?
2. Où allez-vous passer vos vacances ?
3. Combien de temps y resterez-vous ?
4. Pourrez-vous prendre vos vacances quand vous voudrez ?
5. Où étiez-vous l'année dernière ?
6. Que préférez-vous, aller au bord de la mer ou à la campagne ?
7. Quels pays connaissez-vous ?
8. Où peut-on prendre des renseignements sur les pays que l'on ne connaît pas ?
9. Qu'est-ce qu'on peut faire pour ne pas trop grossir ?
10. Quel temps fait-il ici généralement au printemps ?
11. Est-ce qu'il fait chaud au pôle nord ?
12. Est-ce qu'il fait déjà nuit à huit heures au mois de juin ?

B. *Say in French :*

1. I know western Switzerland, but I do not know eastern Switzerland.
2. My friend knows it well, and I should like to see it too.
3. I went to Austria last year.
4. This year we shall go to the seaside.
5. Would you like to fly ?
6. My friends will have their holidays at the end of July.
7. I shall have them later this year.
8. I would rather have my holidays earlier.
9. I should like to leave at once.
10. I believe it is rather cold in the Alps in winter.
11. What was the weather like when you were there ?
12. The sun was shining and it never rained.

II

A. *Reply in French :*

1. Pouvez-vous me recommander un endroit tranquille au bord de la mer ?
2. Savez-vous où se trouve le lac Léman ?
3. Connaissez-vous une ville au bord du lac ?

4. Où Monsieur et Madame Hammond veulent-ils passer leurs vacances ?
5. En quelle saison préfèrent-ils voyager ?
6. Qu'est-ce que l'employé du bureau leur conseille ?
7. Qu'est-ce qu'il leur a donné ?
8. Qu'est-ce que Monsieur et Madame Hammond vont faire avec les brochures qu'ils ont reçues ?
9. Qu'êtes-vous obligé d'avoir pour entrer dans un pays ?
10. Savez-vous conduire ?
11. Savez-vous s'il faut un passeport pour visiter les Iles Anglo-Normandes ?
12. Les connaissez-vous ?

B. *Say in French :*
1. I do not know that town, but I know where it is.
2. Do you know the way to the station ?
3. Do you know what the word *brouillard* means ?
4. I did know it but I have forgotten.
5. Did you know that we have not enough petrol ?
6. He could not say where that street is.
7. You could get us a street plan, couldn't you ?
8. We could have ordered one. — You are quite right.
9. I prefer going by train to going by car. — Do you really ?
10. Can you translate this letter for me ? — Certainly.

C. *Replace the underlined parts by pronouns :*
1. Voulez-vous me montrer votre plan de la ville.
2. Pouvez-vous donner l'adresse à ma femme ?
3. Il ne peut pas traduire cette lettre à ce monsieur.
4. Elle veut acheter du chocolat à ces enfants.
5. Il pourra prêter sa bicyclette à son ami.

III

A. *Reply in French :*
1. Combien de temps faut-il pour aller de Londres au bord de la mer ?
2. Comment s'appelle la mer qui sépare la France de l'Angleterre ?
3. Connaissez-vous des plages sur la côte ouest de la France ?
4. Aimez-vous vous baigner quand la mer est mauvaise ?
5. Savez-vous à quelle altitude nous nous trouvons ?
6. Pourquoi Monsieur Hammond dit-il qu'il vaut mieux aller un peu plus haut ?

7. Savez-vous où se trouve Évian ?
8. Pourquoi Monsieur Hammond ne veut-il pas y aller ?
9. Qu'est-ce qu'il cherche ?
10. Qu'est-ce qu'il vaut mieux, se baigner à marée haute ou à marée basse ?
11. Connaissez-vous une ville d'eau où l'on soigne les rhumatismes ?
12. À quelle heure devez-vous vous lever demain matin ?

B. *Say in French :*
1. What do you think of going for a bathe now ? — That's an excellent idea.
2. Would it not be better to go a little later when it will be warmer ? — I think you are right.
3. There must be a lake near here. — Yes, I am sure there is.
4. Tell me which you would rather have, a view of the lake or of the mountains ? — I do not mind which.
5. Would it not be better to make enquiries first ? — It certainly would.
6. Don't I owe you some money ? — You do.
7. I ought to write to make some enquiries. — Yes, you ought.
8. Look here. A place quite near the lake. How beautiful it must be !
9. It should be quiet there. — I doubt it.
10. Is it worth while going up there ? — It is difficult to say.
11. If it is foggy you will not see anything. — I suppose not.
12. From there we could go bathing every day. — Jolly good.

IV

A. *Say in French :*
1. Do you always wash up like this ? — I certainly do.
2. Have we received all the information we require ? — I believe we have.
3. I shall choose a hotel recommended by the travel agency. — That would be better.
4. Are these the particulars about the Youth Hostel he told us about ? — That's right.
5. You speak French as well as I do. — I don't think so.
6. Have you smoked all the cigarettes ? — Certainly not.
7. They play cards all day long. — Do they really ?
8. You will like this village very much. — I am sure I will.
9. She told me all this a few days ago. — You don't say so !
10. They will write to us as soon as possible. — That's good.
11. They make a noise every evening. — I am sorry to hear that.
12. I am terribly sorry to have disturbed you. — That's all right.

B. *Answer in French :*

1. Recevez-vous beaucoup de courrier ?
2. Aimeriez-vous voyager avec des gens que vous ne connaissez pas ?
3. Que fera Madame Hammond pendant que son mari écrira à l'hôtel ?
4. Pourquoi écrit-il ?
5. Est-ce qu'il doit attendre longtemps pour la réponse ?
6. Est-ce qu'il y a une grande différence entre les trois réponses ?
7. Quel hôtel ont-ils choisi ?
8. Qu'est-ce que contenait chaque lettre ?
9. Pourquoi quelques automobilistes emmènent-ils des passagers ?
10. Est-ce que les Hammond ont une voiture ?
11. Qu'est-ce que Madame Hammond croit qu'ils devraient essayer ?
12. Où passera Monsieur Hammond et pourquoi ?

V

A. *Answer in French :*

1. Avez-vous voyagé en avion ?
2. Qu'est-ce qu'il faut emporter quand on va à la montagne ?
3. Quels préparatifs faut-il faire avant de partir à l'étranger ?
4. Pourquoi les Hammond voyagent-ils de nuit ?
5. Combien d'heures faut-il pour aller de Londres à Genève ?
6. Qu'est-ce que Madame Hammond trouve incroyable ?
7. D'où faut-il descendre la malle ?
8. Que veut-elle faire avec cette malle ?
9. Pourquoi veut-elle la jeter ?
10. Qu'est-ce qui leur suffira ?
11. Avez-vous l'habitude d'emporter des choses dont vous n'avez pas besoin ?
12. Où mettez-vous les articles de toilette ?

B. *Say in French :*

1. I have just heard some good news. — Have you really ? What is it ?
2. My uncle from America will arrive next Tuesday. — I am very pleased to hear it.
3. Do we have to book seats in advance ? — I think so.
4. You will need a driving licence. — Thanks for telling me.
5. What I need above all is a rucksack. — You certainly do.
6. It is better to leave in the morning than to spend all night in the train. — I quite agree.

7. We'd better buy a new suitcase. — Don't you think the old one will do (*fera notre affaire*) ?

8. You can throw these old papers into the dustbin. — You are joking. On no account shall I do such a thing.

9. I have nothing to write with. Could you lend me your pencil ? — Here. You can keep it. — Thanks so much. That's very kind of you.

10. Here is something you can make soup from. — Thanks for having brought it. — Don't mention it.

11. I shall also put some garlic in it. — I don't think you should.

12. How do you like my new dress ? — I like it very much. — Will you put it on tomorrow ? — That will depend on the weather.

VI

A. *Answer in French :*

1. Est-ce que Monsieur et Madame Hammond portent leurs bagages eux-mêmes ?

2. Qui les aide à descendre leurs bagages ?

3. Où les bagages sont-ils pesés ?

4. Quelles sont les formalités obligatoires avant de partir ?

5. Qu'est-ce que l'hôtesse de l'air leur demande au moment de partir ?

6. Qu'est-ce qu'elle offre aux passagers ?

7. Qu'est-ce que les Hammond choisissent ?

8. Comment trouvent-ils le café ?

9. Pourquoi Monsieur Hammond ne prend-t-il jamais plus d'une tasse de café ?

10. Est-ce que vous suivez toujours les conseils de votre médecin ?

11. Est-il permis de fumer dans l'avion ?

12. Qu'est-ce que Madame Hammond préfère à la lecture des journaux ?

B. *Say in French :*

1. I shall put all I need during the journey into this suitcase.

2. He will lead a group of French tourists visiting Scotland.

3. They will follow him everywhere.

4. You must ask them not to smoke.

5. They find it impossible to pay cash.

6. We have been delayed by rain.

7. She never smoked more than three cigarettes a day.

8. Would you please tell them to stop that noise !

9. Ask her to prepare the room before lunch.

10. Tell him to take down the luggage to-morrow morning.
11. Will you please help me with the washing-up?
12. May I offer you a piece of chocolate? — Thank you very much. It is very kind of you.

VII

A. *Répondez en français :*

1. Où a lieu la visite des bagages?
2. Comment voyagent les passagers de l'aéroport à la ville?
3. Où prennent-ils le petit déjeuner?
4. En quoi consiste leur petit déjeuner?
5. Qu'est-ce que vous prenez au petit déjeuner?
6. Comment allez-vous de chez vous au travail?
7. Habitez-vous loin de la gare?
8. Combien de temps vous faut-il pour y aller?
9. Est-ce qu'il y a un coiffeur près de chez vous?
10. De quel côté circulent les voitures?
11. Est-ce que votre meilleur ami est plus âgé que vous?
12. Le climat de la France est-il plus chaud que celui du Danemark?

B. *Dites en français :*

1. Could we have some fried eggs?
2. Will you bring us some more milk?
3. I have left my fountain pen at home. Could you please lend me yours?
4. Your fountain pen is better than mine. It is as good as my brother's.
5. This station is as big as the one at Lyons.
6. These croissants are as good as those we had in France.
7. We must tell him that the coffee here is the best we have ever had.
8. What excellent service! Even the cups are hot.
9. I should like to know at what time our train leaves.
10. That is just what we want.
11. I should like as much milk as coffee please.
12. Is there a hairdresser near here?

VIII

A. *Répondez en français :*

1. À qui appartient la maison dans laquelle vous demeurez?
2. Comment s'appelle l'animal avec le lait duquel on fait du beurre?
3. Comment s'appelle la mer dans laquelle se jette la Tamise?

4. Que dit-on à ceux dont on a reçu un cadeau ?
5. Nommez un auteur dont vous avez lu un roman.
6. Lesquels de tous les fruits sont ceux que vous mangez le plus souvent ?
7. Comment appelle-t-on la partie de la gare où l'on peut déposer ses bagages ?
8. Pourquoi les Hammond laissent-ils leurs bagages à la consigne ?
9. Pourquoi Monsieur Hammond ne prend-il pas des billets aller-retour ?
10. Où vont-ils se promener ?
11. Qu'est-ce qui se trouve au bout de la rue ?
12. Qu'est-ce qu'ils admirent du quai ?

B. *Dites en français :*
1. We went for a walk in town.
2. We enjoyed the fine weather.
3. Which of these flowers do you like best ?
4. (Of) which of these cheeses do you wish to taste ?
5. Which of these pictures do you like better, this one or that one ?
6. Which of these waiters is ours ?
7. Who wants to speak to me ?
8. Whom do you wish to speak to ?
9. What's going on here ?
10. What does that mean ?
11. Guess whom I met.
12. The film I told you about is being shown now.

IX

A. *Répondez en français :*
1. Que dit-on pour demander la permission de fumer ?
2. Que dites-vous pour demander du feu ?
3. Que dites-vous pour remercier quelqu'un qui vous a aidé à hisser votre valise dans le filet ?
4. Que dit-on pour demander la permission d'ouvrir une fenêtre ?
5. Pourquoi la vieille dame demande-t-elle qu'on ferme la fenêtre ?
6. Pourquoi Madame Hammond veut-elle qu'on ouvre la fenêtre ?
7. À quelle heure vous êtes-vous levé ce matin ?
8. Vous êtes-vous couché tard hier ?
9. Est-ce qu'il y a quelque chose de nouveau dans le journal ?
10. Où met-on les valises dans le train ?
11. Quelle place préférez-vous ?
12. Comparez un train français et un train anglais.

B. *Dites au passé :*

1. Elle offre des bonbons aux enfants.
2. Ils ne réussissent pas à atteindre le sommet.
3. Je m'excuse d'être en retard.
4. Je m'endors avant minuit.
5. Est-ce que cela t'amuse ?
6. Elle est souffrante.
7. Nous faisons une visite.
8. Elle ne prend pas de sucre.
9. Il ne vient pas.
10. J'y vais.

C. *Dites en français :*

1. Would you be so kind as to help me lift this suitcase ?
2. I hope you will succeed in getting tickets.
3. We shall try not to be late.
4. I shall go there early.
5. They are going to make some enquiries.
6. He has just got up.
7. We went for a walk after lunch.
8. Did you catch a cold ?
9. Did she have a good time ?
10. Tell me what the news is.
11. How are the children ?
12. Is everybody in good health ?

X

A. *Répondez en français :*

1. Pourriez-vous m'indiquer le chemin pour aller à la mairie ?
2. Pourquoi les Hammond se renseignent-ils dès qu'ils sont arrivés ?
3. Pourquoi décident-ils de laisser les bagages à la consigne ?
4. Qu'est-ce qu'ils font en ville ?
5. À qui demandent-ils de leur recommander un restaurant ?
6. Quel restaurant leur recommande-t-il ?
7. De quoi ne se souvient-il pas ?
8. Vous souvenez-vous de la guerre de 1939 ?
9. De quoi se composent les menus à prix fixe ?
10. Quelle différence y a-t-il entre les deux menus ?
11. Que prend Madame Hammond ?
12. Qu'est-ce qu'ils prennent comme boisson ?

B. *Dites en français :*

1. We shall have soup first, then fish followed by roast veal, and shall finish up with cheese and fruit.
2. It is a good, typically French meal.

3. You should drink white wine with the fish.
4. Have we missed the coach which stops here for Grenoble ?
5. He is asking you whether you could recommend them a hotel.
6. There is a good Swiss hotel there, but I cannot remember its name.
7. You had better write to the local syndicat d'initiative.
8. Let me know when their reply comes.
9. How do you like the soup ?
10. I find it delicious.
11. May I offer you some more ?
12. Thanks. I have had enough.

XI

A. *Répondez en français* :

1. Qu'est-ce qu'il y a sur la table à l'heure du dîner ?
2. Pourriez-vous manger plus de deux œufs ?
3. Qu'est-ce qui est meilleur marché en France qu'en Angleterre ?
4. Qu'est-ce que vous avez fait ce matin ?
5. Avec quoi vous êtes-vous lavé ?
6. Qu'auriez-vous fait aujourd'hui si ç'avait été un jour de repos ?
7. Que ferez-vous aussitôt que vous serez de retour chez vous ?
8. Après que vous aurez dîné, que ferez-vous ?
9. Que faut-il faire quand on arrive en retard ?
10. Portez-vous vos bagages vous-même ou les faites-vous porter ?

B. *Dites en français* :

1. Would you be so kind as to lend me your paper ?
2. He offered everybody chocolate and sweets.
3. Do you think I shall succeed in getting all this into my suitcase ?
4. Next time try not to bring so many things.
5. Do you bathe in the sea every day ?
6. We are going to use it.
7. You must get used to it.
8. I have just complained about it.
9. We had a rest after our long walk.
10. Did you have a good time ?
11. Here we are again.
12. Any news ?
13. How is the family ?
14. Everybody is in good health.
15. Please give them all my kind regards.

XII

A. *Répondez en français :*

1. Qu'est-ce qu'on fait après un long voyage ?
2. Que font les Hammond après s'être installés dans leur chambre ?
3. Que veut d'abord faire Madame Hammond ?
4. À propos de quoi Monsieur Hammond se renseigne-t-il ?
5. Qu'est-ce qu'il reçoit à titre gratuit ?
6. Où faut-il s'adresser pour obtenir des renseignements ?
7. Qu'est-ce qu'il faut faire si on n'a pas de petite monnaie ?
8. Croyez-vous que dix francs suffiront pour acheter une paire de souliers ?
9. De quoi se sert-on pour se protéger contre la pluie ?
10. Que faites-vous quand vous avez froid ?
11. Que dites-vous si vous n'avez pas bien compris ce qu'on vous a dit ?
12. Que dit-on en réponse à "Je vous demande pardon" ?

B. *Dites en français :*

1. I want to open an account at the local bank.
2. I believe ten francs will be enough.
3. I suppose we shall have to go to town for that.
4. Can one do it at once ?
5. Let us go in to make enquiries.
6. I should be very grateful if you could give me some information.
7. It is difficult to explain it to her.
8. I promised him that I would tell her.
9. It will be impossible for me to do that.
10. Are you pleased with what you have bought ?
11. I thought of it just a minute ago.
12. I have something to ask you.
13. Would you be so kind as to tell me what this word means ?

XIII

A. *Répondez en français :*

1. Que font Monsieur et Madame Hammond le lendemain de leur arrivée ?
2. Qu'est-ce qu'ils ont fait la veille ?
3. De quoi Madame Hammond n'est-elle pas sûre ?
4. Pourquoi Monsieur Hammond croit-il qu'il sera impossible de se tromper de chemin ?
5. De quoi n'est-il pas tout à fait sûr ?
6. À qui demande-t-il le chemin ?

7. Quelles indications leur donne le passant ?
8. Combien de temps leur faudra-t-il pour atteindre le sommet ?
9. A quelle condition pourraient-ils l'atteindre en une heure et demie ?
10. Où y a-t-il des bancs ?
11. Pourquoi Madame Hammond ne veut-elle pas s'asseoir ?
12. Qu'est-ce qui se trouve au sommet ?

B. *Dites en français* :
1. Could you please tell me where the nearest post-office is ?
2. I have been told it is somewhere this way.
3. You are wrong. According to the guide-book it must be on the other side.
4. We noticed a signpost showing the way to Thonon.
5. You cannot go wrong if you follow the path shown on the map.
6. Let us sit down here and have a rest.
7. It is better to go now so that we do not miss the bus.
8. Does the bus for Grenoble stop here ?
9. You have to cross the square and then turn right.
10. We shall have to get up early to see the sunrise.
11. If he had not said that, I should not have remembered.
12. I wonder what this is for.

XIV

A. *Répondez en français* :
1. Avec qui les Hammond ont-ils fait connaissance ?
2. Que voulaient-ils faire ensemble ?
3. Pourquoi Monsieur Dubois vient-il sans sa femme ?
4. Que dit Madame Hammond quand elle entend que Madame Dubois ne se sent pas bien ?
5. De quoi souffre-t-elle ?
6. Qu'est-ce que son mari espère trouver en ville ?
7. Qui emmène-t-il dans sa voiture ?
8. Pourquoi ne pourra-t-il pas les ramener ?
9. Où veut-il s'arrêter en route, et pourquoi ?
10. Que ne veut-il pas risquer ?
11. Quelles sont les parties principales du corps humain?
12. Savez-vous conduire ?

B. *Dites en français* :
1. It is a nuisance to have arrived so late.
2. It is surprising that you are still up.
3. It is a pity you could not have come earlier.

4. It is important that you write to him as soon as possible.
5. You must let them know that you do not feel well.
6. Does your leg still hurt?
7. I hope you slept well.
8. I fell asleep as soon as I went to bed.
9. What is the new guest like?
10. He is a middle-aged man of medium height with grey hair. He is well educated and very nice.
11. I am glad to hear it. I should like to make his acquaintance.
12. I am sorry to hear that your daughter is not well. Please give her our best wishes. We are sorry that she cannot come with us.

XV

A. *Répondez en français :*

1. À quoi doit-on s'attendre quand on fait l'ascension d'une montagne?
2. Vous étonneriez-vous si vous trouviez du brouillard sur la montagne?
3. Est-ce qu'on peut faire l'ascension du Mont Everest en funiculaire?
4. Connaissez-vous les noms de ceux qui en ont fait l'ascension?
5. Est-ce qu'il est permis de traverser une ville à 80 kms. à l'heure?
6. Quelle est la vitesse maximum permise en ville?
7. Que doit faire celui qui conduit une auto pour avertir les enfants qui jouent dans la rue?
8. Pourquoi la voiture de Monsieur Dubois s'est-elle arrêtée en route?
9. Qu'est-ce qu'il faut faire quand un pneu est crevé?
10. À quel moment a-t-il commencé à pleuvoir?
11. Où se sont-ils réfugiés?
12. Pourquoi n'ont-ils pas regretté l'ascension manquée?

B. *Dites en français :*

1. What about having our meal now?
2. You have become quite sunburnt.
3. The novel I am reading is getting more and more interesting.
4. I have to finish it before we leave.
5. I hope the weather will change.
6. I think it will be fine tomorrow.
7. I don't think that is possible.
8. It always rains here at this time of the year.

9. If it rains tomorrow we shall play cards with them.
10. Although the weather was bad we started our climb.
11. We heard a terrible noise.
12. The car stopped and we all got out.

XVI

A. *Répondez en français :*

1. Jouez-vous du piano ?
2. Savez-vous jouer aux échecs ?
3. Comment appelle-t-on celui qui prépare et vend des remèdes ?
4. Où est-ce qu'on se fait couper les cheveux ?
5. Par qui faites-vous raccommoder vos souliers ?
6. Chez qui se rend-on pour se faire faire un costume ?
7. Où faut-il se rendre pour toucher (*cash*) des chèques de voyage ?
8. Savez-vous quel est le cours du change du franc suisse ?
9. Quelles places préférez-vous au théâtre ?
10. Qu'est-ce qu'on achète (*a*) dans un magasin de nouveautés ? (*b*) chez un marchand des quatre saisons ? (*c*) dans une papeterie ?
11. Quel timbre faut-il mettre sur les lettres pour l'étranger ?
12. Quelle pointure chaussez-vous ?

B. *Dites en français :*

1. Where did you buy the pastries I liked so much ?
2. I bought them at the pastrycook's on the other side of the street.
3. Every week she buys all we need at the grocer's at the other end of the village.
4. Is it the one next to the greengrocer's ? — That's right.
5. It's Jeanette's birthday tomorrow. We must buy her a present.
6. Would a book on Alpine flowers interest her ? — I doubt it.
7. Let's buy her a scarf. The one she is wearing belongs to her sister.
8. I saw a lovely one in dark blue. Do you think the colour will suit her ?
9. I would choose something lighter to go with her coat.
10. Look at these lovely roses. Let's buy half a dozen.
11. Before we can do that we have to go to the bank to cash some travellers' cheques.
12. I paid 90 centimes for the apples and 75 centimes for half a dozen oranges. I only have 15 francs left.

XVII

A. *Répondez en français :*

1. Faites-vous du sport ?
2. Quel est votre sport favori ?
3. Est-ce que vous jouissez d'une excellente santé ?
4. Sortiriez-vous si vous étiez malade ?
5. Préférez-vous vous baigner à marée haute ou à marée basse ?
6. Qu'est-ce que vous emportez quand vous allez prendre un bain de mer ?
7. Prenez-vous des bains de soleil ?
8. Quels sont vos projets pour demain ?
9. Quand avez-vous commencé à apprendre le français ?
10. Pourquoi Monsieur Hammond ne peut-il pas se baigner ?
11. Que fait-il pendant que les autres sont dans la piscine ?
12. Qu'est-ce qu'on peut voir sur le lac ?

B. *Dites en français :*

1. We have been staying here for a fortnight, since July 18th.
2. It is a pity you cannot stay longer.
3. I have to be back on August 3rd.
4. I wonder where I could get a haircut.
5. I am looking for someone who could take my trunk to the station.
6. If you have nothing else to do, will you give us the pleasure of spending the evening with us ?
7. If you see her, will you please tell her to let me have what she promised ?
8. She must be afraid that there will be too many people.
9. We are afraid of missing the train.
10. I had just left the house when the rain started.
11. Please tell him, on behalf of my wife also, that his pies are the best we have ever tasted.
12. It will do him good to hear that.

XVIII

A. *Répondez en français :*

1. Que dites-vous quand vous présentez quelqu'un ?
2. Que dites-vous quand on vous présente quelqu'un ?
3. Avez-vous un poste de T.S.F. ?
4. Qu'est-ce que vous aimez écouter à la T.S.F. ?
5. Que dites-vous quand on vous remercie ?
6. Développez-vous vos photographies vous-même ?

7. Réussissez-vous toutes vos photographies ?
8. Quel cadeau fait Madame Hammond à Madame Dubois en partant ?
9. De quoi vous occupez-vous pendant vos loisirs ?
10. Avez-vous été au théâtre dernièrement ?
11. Parmi les films que vous avez vus lequel avez-vous préféré ?
12. Que demandez-vous à un ami qui rentre de vacances ?

B. *Dites en français :*

1. Have you had any news from your friend who went to Canada ?
2. I am sorry not to have made his acquaintance.
3. Tell them that it's time to get ready for leaving.
4. If you come to England, you must come and see us.
5. As soon as you arrive you must give us a ring.
6. I must say goodbye now because tomorrow we shall leave early.
7. Our neighbour has kindly offered to drive us to the station.
8. I do not wish to detain you. You must be very busy.
9. We packed our things last night.
10. I had some prints made of the snapshots you liked best.
11. Thanks so much. It will be a lovely souvenir of the nice time we have had together.
12. It was a great pleasure to have made your acquaintance.

INDEX

I. Formules de Conversation

The references are to lessons

II. Grammatical Explanations

The references are to sections